本书编写组 编

中华优秀传统文化书系

论 语

（四）

山东画报出版社

出版说明

　　山东是儒家文化的发源地，也是中华优秀传统文化的重要发祥地，在灿烂辉煌的中华传统文化"谱系"中占有重要地位。用好齐鲁文化资源丰富的优势，扎实推进中华优秀传统文化研究阐发、保护传承和传播交流，推动中华优秀传统文化创造性转化、创新性发展，是习近平总书记对山东提出的重大历史课题、时代考卷，也是山东坚定文化自信、守护中华民族文化根脉的使命担当。

　　为挖掘阐发、传播普及以儒家思想为代表的中华优秀传统文化，推动中华文明与世界不同文明交流互鉴，山东省委宣传部组织策划了"中华优秀传统文化书系",并列入山东省优秀传统文化传承发展工程重点项目。书系以儒家经典"四书"（《大学》《中庸》《论语》《孟子》）为主要内容，对儒家文化蕴含的哲学思想、人文精神、教化思想、道德理念等进行了现代性阐释。书系采用权威底本、精心校点、审慎译注，同时添加了权威英文翻译和精美插图，是兼具历史性与时代性、民族性与国际性、学术性与普及性、艺术性与实用性于一体的精品佳作。

前言

　　《论语》是记录孔子及其弟子言行的一部著作,是反映孔子思想的基本文献,是继"五经"(《周易》《尚书》《诗经》《春秋》《仪礼》)之后出现的一部重要经典。宋代,朱熹将其与《孟子》《大学》《中庸》选列入"四书",并将"四书"分章断句,汇集注释,形成《四书章句集注》,广为传播。

一、《论语》的成书及流传

　　《论语》书名的含义,古今歧解纷纷,一个"论"字,引出"论纂"说、"伦理"说、

"追论"说、"讨论"说、"选择"说、"条理"说等多种解说。比较而言，当以"论纂"说为是。"论"有"编纂"义，所谓"论语"，就是编纂在一起的话语。就《论语》来讲，就是编纂起来的孔子、弟子、时人的谈话记录。

《论语》的编纂与成书。《汉书·艺文志》有述："《论语》者，孔子应答弟子、时人及弟子相与言而接闻于夫子之语也。当时弟子各有所记，夫子既卒，门人相与辑而论纂，故谓之《论语》。"据此可知，《论语》的编纂时间应是在"夫子既卒"之后不久；《论语》的编纂者是孔子的弟子们。至于哪些弟子参与了编纂，后人有多种说法，汉郑玄说是仲弓、子游、子夏，魏王肃说是子贡、子游，唐柳宗元说是孔子的再传弟子乐正子春、子思等。今人多认为：《论语》初成于孔子众弟子之手，最终由孔子的孙子子思整理编定。

《论语》成书之后，便逐步有了较广泛的传播，其传播方式，一是辗转传抄，一是口耳相传。从《孟子》以及后来出土的楚简均可看出《论语》在战国时期的流传痕迹。其传本形态，鲁恭王坏孔子宅所得古文《论语》可以见证。后经秦皇焚毁，抄本几乎绝迹。汉代武帝时，鲁恭王刘余坏孔子宅，在壁中幸得孔氏家传抄本《论语》，经孔安国整理后得以面世，因是战国文字，故称之为古文《论语》，简称为《古论》。有学者认为，西汉时期出现的《齐论》《鲁论》，都是由《古论》发展而来。"三论"是西汉时的主要版本，在长期的传承过程中，难免有更改、增减或衍脱，出现了篇章、篇次以及文字内容的差异。为消除分歧，安昌侯张禹以《鲁论》为本，参照《齐论》，整合为一个定本，名为《张侯论》。此书面世后，受到了士子们的认可。东汉时，包咸、周氏为之章句，立于学官。熹平年间全文刻于石碑，成为官方定本。大儒郑玄也以《张侯论》为本，撰成《论语注》。由此，它本浸微，而《张侯论》得以世代流传。

汉代以后，出现的《论语》注释著作数不胜数，较著名的有：魏何晏的《论语集解》，梁皇侃的《论语义疏》，宋邢昺的《论语注疏》，宋朱熹的《论语章句集注》，清刘宝楠的《论语正义》，近代程树德的《论语集释》等。

二、《论语》的思想内容

从部头上来讲，《论语》虽然只有一万六千字，但体大思精，精辟地阐述了人生的哲理，合理地规范了人生的准则。就其思想而言，包括仁爱、礼仪、诚信、孝道等多个方面。

仁爱思想。孔子的思想核心是"仁"。据统计，《论语》一书"仁"字共出现109次。"仁"何义？汉代许慎《说文解字》曰："仁，亲也。从人从二。"宋代徐铉注《说文》曰："仁者兼爱，故从二。"可知，仁的基本含义是人与人相亲爱。《论语·颜渊》篇樊迟问仁，孔子回答曰：“爱人。”仁者爱人，爱广大民众（“泛爱众而亲仁”）。这种爱不只是停留在口头上，而是要时时事事体现在行动上，是要终生去实践它。正像曾子所说：“士不可以不弘毅，任重而道远。仁以为己任，不亦重乎？死而后已，不亦远乎？”（《泰伯》）把践行“仁”作为终生奋斗的重任和目标，仁爱他人，为民造福。

礼仪思想。孔子以“仁”为内在，重在以仁德修心；以“礼”为外在，重在以礼仪规范行为，规范社会。他强调“礼”的重要性，认为“不学礼无以立”（《季氏》），主张人的一切言行都要符合礼：“非礼勿视，非礼勿听，非礼勿言，非礼勿动。”（《颜渊》）颜渊问仁，孔子回答说：“克己复礼为仁。一日克己复礼，天下归仁焉。”（《颜渊》）这句话曾被很多人误解，正确的理解是：克制自己约束自己，使自己的一切言行都归合于礼，就是仁。如果人人约束自己而归合于礼，天下就都归于仁了。也就是说，人人克己复礼，天下就成了充满仁德的天下。

诚信思想。孔子重视诚信，把诚信列入"五常"（人们遵循的五种常道），即仁、义、礼、智、信；把忠信列入学校教育"四科"，即文、行、忠、信。要求人在说话、处事、交友、为政等方面都要讲究诚信。说话，要"言而有信"（《学而》）；处事（世），要恭敬忠信，"居处恭，执事敬，与人忠"（《子罕》）；交友，要结交讲诚信的朋友，"友直，友谅，友多闻，益矣"（《季氏》）；为政，要取信于民，"民无信不立"（《颜渊》）。

孝道思想。孔子具有很高的孝道境界，他认为，子女对待父母，只做到"养"是不够的，要做到"敬"。他说："今之孝者，是谓能养。至于犬马，皆能有养。不敬，何以别乎？"（《为政》）意思是说：今天有些人谈到孝，认为对老人做到养就是孝了。这种要求太低了，连狗和马等有灵性的动物都能做到长幼间的相养，作为人，在赡养老人时如果体现不出"敬"来，那与狗马等动物有何区别？

和谐友善思想。人生活在社会群体之中，需要保持友善的态度，构建和谐的人际关系。在这方面，孔子提出"君子成人之美，不成人之恶"（《颜渊》），"与人恭而有礼"（《颜渊》），"己所不欲，勿施于人"（《卫灵公》），"己欲立而立人，己欲达而达人"（《雍也》），"君子尊贤而容众，嘉善而矜不能"（《子张》），以及"和为贵""温良恭俭让""恭宽信敏惠"等众多行之有效的行为准则。

义利思想。所谓"义"，指符合正义，符合公益或道德规范。所谓"利"，指利益、财利、好处。孔子认为，"利"要符合"义"。他说："不义而富且贵，于我如浮云。"（《述而》）"富与贵，是人之所欲也，不以其道得之，不处也。贫与贱，是人之所恶也，不以其道去之，不去也。"（《述而》）孔子重义，并非不要财富，他既希望国民富足，

如在卫国时，他希望卫国民众富庶，也希望
个人富有，如《述而》篇，他说："富而可
求也，虽执鞭之士，吾亦为之。"面对贫穷，
孔子如是说："君子固穷，小人穷斯滥矣。"
（《卫灵公》）"好勇疾贫，乱也。"（《泰伯》）
可见，孔子的义利观是值得肯定的：君子求福，
取之有道。面对穷困时，不要滥漫无节、胡
作非为，而是凭着个人的努力奋斗摆脱贫困。

为政思想。在从政为官方面，孔子一是
强调正身："政者，正也。子帅以正，孰敢不正。"
（《颜渊》）"不能正其身，如正人何？"
（《子路》）"其身正，不令而行；其身不正，
虽令不从。"（《子路》）二是强调德政："为
政以德，譬如北辰，居其所而众星共之。"
（《为政》）"博施于民而能济众。"（《雍
也》）三是强调勤政："居之无倦，行之以忠。"
（《颜渊》）他这么说，也这么做，"君命召，
不俟驾行矣"（《乡党》），国君有命来召，
孔子不等车马驾好就急匆匆跑去。

此外，还有"忠恕""中庸""谦逊""刚勇"等思想内容，总之，《论语》中蕴含的思想丰富多彩。

三、今人读《论语》的重要意义

《论语》是两千多年前的古书，当今的广大读者应潜心研读，理由有三：

其一，《论语》自身价值。上述可知，《论语》中所传达的仁爱、礼仪、诚信、孝道、和谐、友善、德政、富民等思想，多与当今时代的价值观吻合。《论语》享誉古今，不仅被古人誉为"盖千年来，自学子束发诵读，至于天下推施奉行，皆以《论语》为孔教大宗正统，以代六经"（康有为《论语注序》），也被今人誉为"两千多年来影响着中华民族精神面貌的最伟大的书"（汤一介语，见雷原《论语：中国人的圣经》），更被外国人尊为"至高无上宇宙第一书"（〔日〕金谷治《孔子学说在日本的传播》）。

　　其二，个人修养需要。《论语》的大部分内容是谈修身做人，很多名句被人们作为座右铭，诸如"仁者爱人""修己安人""己所不欲，勿施于人""己欲立而立人，己欲达而达人""君子成人之美""见贤思齐""君子尊贤而容众，嘉善而矜不能"，等等。《论语》的育人功能，被世人普遍认知，尤其是儒学界、教育界的研究者，纷纷提倡"读《论语》，学做人"的命题，写出大量专著和论文。《论语》就像一面镜子，帮助人们照去脸上的灰尘，照去心中的恶念，时时提醒"三省吾身"。

　　其三，社会治理需要。当今社会，人们仍面临诸多难题，要解决这些难题，不仅需要运用人类今天发现和发展的智慧和力量，而且需要运用人类历史上积累和储存的智慧与力量。《论语》中就储存着解决这些难题的丰富智慧和巨大力量。

Contents

卫灵公第十五

Book 15. Wei Ling Kun

15.1

卫灵公问陈[1]于孔子。孔子对曰："俎豆[2]之事，则尝闻之矣；军旅之事，未之学也。"明日遂行。

在陈绝粮，从者病，莫能兴。子路愠[3]见曰："君子亦有穷乎？"子曰："君子固穷[4]，小人穷斯滥矣[5]。"

The duke Ling of Wei asked Confucius about tactics. Confucius replied, "I have heard all about sacrificial vessels, but I have not learned military matters." On this, he took his departure the next day.

When he was in Chan, their provisions were exhausted, and his followers became so ill that they were unable to rise. Tsze-lu, with evident dissatisfaction, said, "Has the superior man likewise to endure in this way?" The Master said, "The superior man may indeed have to endure want, but the mean man, when he is in want, gives way to unbridled license."

【注释】［1］陈：同"阵"。［2］俎：放置肉的几。豆：盛肉或其他食物的器皿。两者都是古代宴客、朝聘、祭祀用的礼器，此指礼仪。［3］愠（yùn）：怒，怨恨。［4］固穷：固守穷困，不失节。［5］这两段文字，今通行本皆分为两章。本书遵从朱熹《四书章句集注》，合为一章。

【译文】卫灵公向孔子询问作战阵法。孔子回答说："礼仪方面的事情，我曾听说过。军旅之事，未曾学过。"第二天，孔子便离开了卫国。

孔子在陈国断绝了粮食，跟从的人都饿病了，爬不起来。子路很生气地来见孔子说："君子也有穷困的时候吧？"孔子说："君子能固守得住穷困，而小人遇到穷困就会滥漫无节，胡作非为。"

【解读】在周游列国期间，孔子和他的弟子们在卫国停留的时间最长，并且得到了卫灵公较高的待遇。那么，为什么"一言不合"孔子就决绝地离开了卫国呢？是因为孔子主张以仁德治国，反对战争杀伐，"道不同不相为谋"，所以他毅然离开了卫国。

之后，孔子受到了楚昭王的邀请，赴楚途经陈国、蔡国的时候遇到了麻烦，粮食断绝，被困七日，这就是所谓的"陈蔡之厄"。看到一行人或病或饥，子路埋怨起来。面对子路的埋怨，孔子对他进行教诲，困穷之境，君子要固守得住，要坚持得住，不要像小人那样，一遇到穷困就滥漫无节，胡作非为。这充分反映了孔子坚毅执着的君子品格。人的一生不会一帆风顺，难免遇到一些困难和挫折，心中有信念才能克服种种困难，不忘初心，迎来新的明天。

15.2

子曰："赐也，女^[1]以予为多学而识之者与？"对曰："然，非与？"曰："非也，予一以贯之^[2]。"

The Master said, "Tsze, you think, I suppose, that I am one who learns many things and keeps them in memory?" Tsze-kung replied, "Yes, but perhaps it is not so?" "No, here was the answer; I seek a unity all-pervading."

【注释】[1]女（rǔ）：汝，你。[2]一以贯之：用一个基本道理贯通始终。

【译文】孔子说："端木赐呀，你以为我是多学而强记的人吗？"子贡回答道："是啊，不对吗？"孔子说："不是的，我善于用一个基本道理贯通所学的知识。"

【解读】"多学而识之"，是说一个人勤奋好学，记忆力出众，但这也说明不了学习能力超强。知识是无限的，人的精力却是有限的。因此，光靠死记硬背只能算作饱和式填充，显然不能保证学习的质量。孔子现身说法，将自己在学问上取得一定成就的原因，归结为自己掌握了一套卓有成效的学习方法。运用这一方法，所学便能"一以贯之"。学习如此，行事亦可如此。我们在做任何事情之前，都应本着一种严谨、科学的态度，用联系的、发展的眼光，透过现象看清事物本质。

15.3

子曰："由，知德者鲜矣！"

The Master said, "Yu, those who know virtue are few."

【译文】孔子说："仲由啊，现在懂得道德的人太少了！"

【解读】"德"不是与生俱来的，也不是通过学习教科书便能轻易得到的。一个人必须经过耳濡目染并加强自我修身，才能使内心有所获得。孔子发现，现实中能够自觉践行道德修养的人实在太少了，所以发出了这样的感慨。

15.4

子曰："无为而治者，其舜也与？夫何为哉？恭己正南面[1]而已矣。"

The Master said, "May not Shun be instanced as having governed efficiently without exertion? What did he do? He did nothing but gravely and reverently occupy his royal seat."

【注释】[1]南面：代称帝位。古代以坐北朝南为尊位。

【译文】孔子说："不用事事亲为而使天下得以大治的，大概就是舜吧？他做了什么呢？自己恭敬地坐在那君位上就是了。"

【解读】儒家学说重视孝道，有舜用孝感动上天的传说，再加上他是中华道德文明的创始人之一，便成了儒家心中理想的圣王形象。孔子在这里讲到的"无为而治"理念出自老子，但并不是说舜什么都不用做，而是不与民争，不过多地干预民事。舜的"无为"其实是一种政治智慧：首先，他重视自身的道德修养，对人对物毕恭毕敬，然后用自己的德行去影响、感化世人；其次，他知人善任，用人不疑，使自己身边的贤能之士各得其所，各尽其能，因此能将天下治理得井井有条。

15.5

　　子张问行。子曰："言忠信，行笃敬，虽蛮貊[1]之邦，行矣。言不忠信，行不笃敬，虽州里，行乎哉？立则见其参[2]于前也，在舆则见其倚于衡[3]也，夫然后行。"子张书诸绅[4]。

Tsze-chang asked how a man should conduct himself, so as to be everywhere appreciated. The Master said, "Let his words be sincere and truthful, and his actions honourable and careful; such conduct may be practised among the rude tribes of the South or the North. If his words be not sincere and truthful and his actions not honourable and careful, will he, with such conduct, be appreciated, even in his neighborhood? When he is standing, let him see those two things, as it were, fronting him. When he is in a carriage, let him see them attached to the yoke. Then may he subsequently carry them into practice." Tsze-chang wrote these counsels on the end of his sash.

【注释】［1］蛮貊（mán mò）：少数民族，蛮在南方，貊在东北方。［2］参（cān）：参列，罗列。［3］衡：车辕前面的横木。［4］绅：古代士大夫束腰的大带，系在腰间而垂其一端。

【译文】子张问如何才能行得通。孔子说："说话忠诚信实，行为笃实恭敬，即使在蛮貊之国，也行得通。说话不忠诚信实，行为不笃实恭敬，即使在本乡本土，能行得通吗？站立时就好像看见"忠信笃敬"四字参列在面前，坐在车里就好像看到这几个字靠在车衡上，做到这样，然后才能行得通。"子张把这些话写在束腰的大带上。

【解读】人们在时时追问，怎样做人行事才能处处行得通呢？孔子的答案很简洁，即忠信笃敬。人的情感有其共性，做到这四个字，就能感动他人并引起共鸣，进而使人敬佩。哪怕是身在异乡，人格的魅力犹如一张通行证，在人生的道路上万事亨通。做不到，就算是在最熟悉的故里也会寸步难行。忠信笃敬自然不是说到就能做到的，这需要人们不断修养自身德行，立德明礼。孔子还不忘提醒人们，忠信笃敬不是一句徒有其名的口号，只有将之运用到点滴实践中去，才能到哪都行得通。现实生活中我们经常会遭遇挫折，那么领会并践行忠信笃敬，把它作为生活中的座右铭吧。

15.6

子曰："直哉，史鱼[1]！邦有道，如矢；邦无道，如矢。君子哉，蘧伯玉[2]！邦有道，则仕；邦无道，则可卷而怀之。"

The Master said, "Truly straightforward was the historiographer Yu. When good government prevailed in his state, he was like an arrow. When bad government prevailed, he was like an arrow. A superior man indeed is Chu Po-yu! When good government prevails in his state, he is to be found in office. When bad government prevails, he can roll his principles up, and keep them in his breast."

【注释】［1］史鱼：史鳅（qiū），字子鱼，卫国大夫。［2］蘧（qú）伯玉：蘧瑗，卫国大夫。

【译文】孔子说："正直啊，史鱼！国家有道，像箭一样直；国家无道，也像箭一样直。君子啊，蘧伯玉！国家有道，就做官；国家无道，就把本领收起并保存起来。"

【解读】史鱼和蘧伯玉都是当时卫国的贤大夫，不同的是两人的性格和处世态度截然不同。史鱼正直不屈，敢于进谏；蘧伯玉审时度势，明哲保身，孔子在这里对二人都是大加赞赏的。但从其对二人的评价分别是"直哉"与"君子哉"来看，孔子更推崇蘧伯玉的处世态度。正直的品质大多是由先天获得，君子的品格则更需要后天的修炼。在孔子看来，一个君子自然要正直，但是明哲保身、伺机而动才是聪明的选择。面对今天改革开放、政通人和的局面，仗义执言，敢于担当，审时度势，灵活变通，都是我们要汲取的政治智慧。

15.7

子曰："可与言而不与之言，失人；不可与言而与之言，失言。知者不失人，亦不失言。"

The Master said, "When a man may be spoken with, not to speak to him is to err in reference to the man. When a man may not be spoken with, to speak to him is to err in reference to our words. The wise err neither in regard to their man nor to their words."

【译文】孔子说："可以跟他说却不跟他说，会错失人才；不可以跟他说却跟他说，会浪费语言。聪明的人不会错失人才，也不会浪费语言。"

【解读】识人不可失人，失言不如不言。孔子提出在人际交往中，话可说不可说，有选择合适对象与合适时机的问题，这也是一种智慧。虽然说言为心声，但出不出口需要有所把握。对于那些品行端正、胸襟开阔的人，人们不仅要与之交流，还要学习他们身上的优点；对于那些道貌岸然、小肚鸡肠的人，自然是少说话甚至不说话为妙，否则就是自讨没趣了。做到这一点，才能称为明智。在今天的社会生活中，每个人的脾气、秉性等不尽相同，我们首先要判断对方属于哪一类人，然后再以恰当的方式与之交往，这样才能做到既不"失人"，也不"失言"。

15.8

子曰："志士仁人，无求生以害仁，有杀身以成仁。"

The Master said, "The determined scholar and the man of virtue will not seek to live at the expense of injuring their virtue. They will even sacrifice their lives to preserve their virtue complete."

【译文】孔子说："志士仁人，没有因贪生而损害仁道的，却有牺牲自身而成全仁道的。"

【解读】在孔子看来，人一旦具备了崇高的思想境界，就会自觉地维护道义，乃至于用生命捍卫道义。古往今来的志士仁人，都有高尚的情怀、坚强的信念。当让他们在生命与道义之间做出抉择的时候，他们会毫不犹豫地选择道义，这种选择来自矢志不渝的信念。

15.9

　　子贡问为仁。子曰："工欲善其事，必先利其器。居是邦也，事其大夫之贤者，友其士之仁者。"

　　Tsze-kung asked about the practice of virtue. The Master said, "The mechanic, who wishes to do his work well, must first sharpen his tools. When you are living in any state, take service with the most worthy among its great officers, and make friends of the most virtuous among its scholars."

　　【译文】子贡问如何修养仁德。孔子说："工匠想要做好他的活计，一定要先磨快工具。居住在这个国家，就要事奉大夫中的贤人，交往士中的仁人。"

　　【解读】"工欲善其事，必先利其器"，这句话早已成为人们频繁使用的话语，它强调的是必要条件的重要性，"打铁还需自身硬"。要想成为仁人，必须先修养仁德，这就像工匠必须有好的工具。怎么办呢？孔子提出的办法是，接近德高望重的贤者，他们履历丰富、见多识广；同时，还要结交仁人做朋友，交流切磋，正所谓"近朱者赤，近墨者黑"。与优秀的师友朝夕相处、共事，自己也就能够增强本领，距离仁德不远了。何尝又不是如此？

工欲善其事，必先利其器　李岩　绘

15.10

颜渊问为邦。子曰："行夏之时，乘殷之辂[1]，服周之冕，乐则《韶舞》。放郑声，远佞人。郑声淫，佞人殆。"

Yen Yuan asked how the government of a country should be administered. The Master said, "Follow the seasons of Hsia. Ride in the state carriage of Yin. Wear the ceremonial cap of Chau. Let the music be the *Shao* with its pantomimes. Banish the songs of Chang, and keep far from specious talkers. The songs of Chang are licentious; specious talkers are dangerous."

【注释】［1］辂（lù）：古代的大车。

【译文】颜渊问怎样治国。孔子说："用夏代的历法，乘殷代的车子，戴周代的礼帽，音乐则用舜时的《韶舞》。禁绝郑国的乐曲，疏远巧言谄媚之人。郑国的乐曲淫荡，巧言谄媚的人危险。"

【解读】如何治理国家？孔子没有从思想、原则等方面讲抽象的大道理，而是特别朴实地列举了几个具体的史例：夏代历法顺应自然规律，利于生产；殷代大车朴实耐用，便于乘坐；周代的礼帽庄重威严，符合礼制；舜时期的音乐《韶舞》，尽善尽美，陶冶身心。由此可见，一方面，孔子主张治国应当有选择地继承历代合理的政策措施；另一方面，他还特别强调了礼乐教化的重要作用。需要注意的是，孔子在这里还明确了一个问题：除了继承，还得扬弃"郑声"，远离"佞人"等不好的东西。此章所述固然有其时代的局限性，但其中继承精华扬弃糟粕的观点，对于今天的我们仍有借鉴意义。

15.11

子曰："人无远虑，必有近忧。"

The Master said, "If a man take no thought about what is distant, he will find sorrow near at hand."

【译文】孔子说："一个人如果没有长远的考虑，一定会有眼前的忧患。"

【解读】人们应做到未雨绸缪，万不能临渴掘井。孔子在这里强调的是规划的重要性。一个人要想获得成功，必须有长远的规划，考虑到过程中的各种有利或不利因素，才会顺利到达胜利的彼岸；反之，会困难重重，使自己处于焦头烂额之中。

15.12

子曰："已矣乎！吾未见好德如好色者也。"

The Master said, "It is all over! I have not seen one who loves virtue as he loves beauty."

【译文】孔子说："完了啊，我从没见到过喜欢仁德像喜欢女色那样的人。"

【解读】孔子认为，好色，乃人之最为自然的本性。爱美之心，人皆有之。但人们不能只追求外在的美丽。孔子认为，仁德才是最美的，最值得去爱。它存于内心，虽然看不见其形状，但可感知它无穷的魅力，它是支撑人类生生不息、有序发展的源泉和动力。

15.13

子曰："臧文仲其窃位者与[1]？知柳下惠[2]之贤而不与立也。"

The Master said, "Was not Tsang Wan like one who had stolen his situation? He knew the virtue and the talents of Hui of Liu-hsia, and yet did not procure that he should stand with him in court."

【注释】［1］臧文仲：鲁国大夫臧孙辰。窃位：居其位而不勤其事。［2］柳下惠：本名展获，字禽。

【译文】孔子说："臧文仲大概是个居官位而不干事的人吧？明知柳下惠贤良却不推举他与自己并立于朝。"

【解读】据史料记载，臧文仲是个为政清明的官员，孔子为何斥其为"窃位者"呢？孔子认为，勤政为民本就是位高权重者的分内职责，推贤举能也是他们的重要职能。如果不能为国家推荐有才能的人，怎能说自己一心为民呢？再进一步，甚至可能妒贤嫉能，排挤人才，这样就会成为于国有害的"窃位者"。不推荐人才，是失职；不培养或推荐比自己更有才能的人，就是失德。

15.14

子曰："躬自厚[1]而薄责于人，则远怨矣。"

The Master said, "He who requires much from himself and little from others, will keep himself from being the object of resentment."

【注释】［1］躬自：自己，自身；厚：厚责。

【译文】孔子说："自己对自己多加责备，而少责备别人，就会远离怨恨。"

【解读】严于律己，宽以待人。孔子一贯主张，遇事先自省，理性地分析自己所为有无不妥，会不会无意间引起别人的误解，而不是自以为是地指责对方。现实生活中，随着人与人之间的交往日益增多，难免会出现一些磕磕绊绊，此时人人都应有一颗"严己宽人"之心，多想自己的不足，少责他人的不是。如此，不仅能使双方心情愉悦，又有利于营造和谐的社会氛围，何乐而不为？

15.15

子曰：“不曰‘如之何，如之何’者，吾末如之何也已矣。”

The Master said, "When a man is not in the habit of saying 'What shall I think of this? What shall I think of this?' I can indeed do nothing with him!"

【译文】孔子说：“不说‘怎么办，怎么办’的人，我对他也不知怎么办了。”

【解读】对于一个不会提出问题、思考问题的人，圣明睿智的孔子看似也很无奈。是“朽木不可雕”，还是“恨铁不成钢”，可能兼而有之，但也绝不是放弃。他这是用生动、近乎幽默的语言委婉地相告：遇到问题，多动脑子，多多思考。

15.16

子曰："群居终日，言不及义，好行小慧，难矣哉！"

The Master said, "When a number of people are together, for a whole day, without their conversation turning on righteousness, and when they are fond of carrying out the suggestions of a small shrewdness; theirs is indeed a hard case."

【译文】孔子说："整天和一些人相处在一起，说话不涉及正经道理，好耍小聪明，对这种人真是难办呀！"

【解读】是什么样的人让善为人师的孔子也感到难办呢？社会上总有一些人，他们喜欢整天聚集在一起，无所事事，喜欢海阔天空地高谈阔论，但说的话没有任何意义；他们更喜欢耍些小聪明，自以为是。孔子认为这种人虚度一生，毫无价值。这是在意味深长地告诫弟子。试想一下，我们身边是不是也有这种人呢？

15.17

子曰："君子义以为质，礼以行之，孙[1]以出之，信以成之。君子哉！"

The Master said, "The superior man in everything considers righteousness to be essential. He performs it according to the rules of propriety. He brings it forth in humility. He completes it with sincerity. This is indeed a superior man."

【注释】[1]孙：通"逊"，谦逊。

【译文】孔子说："君子以义为做事的根本，用礼来实行它，用谦逊的态度来表达它，靠诚信来完成它。这才是真正的君子啊！"

【解读】孔子在本章强调"道义"是君子的本质，也是为人处世的第一原则。凡天下事，只要合乎道义，君子自当竭力而为；以此为基本点，在维护和推行道义的过程中，只有做到"礼、孙（逊）、信"才是真君子。

15.18

子曰："君子病^[1]无能焉，不病人之不己知也。"

The Master said, "The superior man is distressed by his want of ability. He is not distressed by men's not knowing him."

【注释】［1］病：担忧。

【译文】孔子说："君子担忧自己没有本事，不担忧别人不了解自己。"

【解读】孔子指出，不要担心别人不了解自己，要担心的是自己没有能力，与此章语意相同。孔子一再告诫人们，应对自己高要求，注重提高自身能力，创造让别人了解自己、肯定自己的条件。

15.19

子曰："君子疾没世而名不称焉。"

The Master said, "The superior man dislikes the thought of his name not being mentioned after his death."

【译文】孔子说："君子担忧死后没有好名声被人称颂。"

【解读】古人讲"三不朽"，即立德、立功、立言，其实质就是追求能够流芳百世的身后之名。孔子在本章中对"名"的担忧，并不是要表现君子追名逐利的急切心情，而是一种遗憾甚至悔恨的心理。君子一生都在孜孜不倦地修养品行、践行仁义道德，却没有做出让世人称道的成绩，无法留下不朽之名，怎能不悔恨、担忧？

15.20

子曰："君子求诸己，小人求诸人。"

The Master said, "What the superior man seeks, is in himself. What the mean man seeks, is in others."

【译文】孔子说："君子责求自己，小人责求别人。"

【解读】孔子所言，不仅向我们展示了君子和小人不同的行事方式，还向我们揭示了君子和小人不同的思考方式。君子遇到挫折，一定会反躬自省，自己承担后果；小人则将问题归咎于别人，让别人承担后果。

15.21

子曰："君子矜而不争，群而不党。"

The Master said, "The superior man is dignified, but does not wrangle. He is sociable, but not a partizan."

【译文】孔子说："君子庄重矜持而不与人争，合群团结而不结党营私。"

【解读】君子讲究"义、礼、孙（逊）、信"，处世风格彬彬有礼，与人"不争"。他们会与志同道合的人形成一个集体，在这个集体里团结友爱，和谐相处。并且以提升个人道德水平、促进社会进步为共同目标，绝不拉帮结派，为己谋利。

15.22

子曰："君子不以言举人，不以人废言。"

The Master said, "The superior man does not promote a man simply on account of his words, nor does he put aside good words because of the man."

【译文】孔子说："君子不因为一个人话说得好就提拔他，不因为一个人的身份问题而不采纳他有价值的话。"

【解读】一个人能说会道，这不应该成为重用他的理由，也不能因为一个人的身份问题就对他的话置之不理。在选用人才时，不仅要听其言，还要观其行；在听取意见时，不能因为对方的地位不高、德行不够就戴上有色眼镜。要善于倾听，他人所言有益就要虚心采纳。

15.23

子贡问曰："有一言而可以终身行之者乎？"子曰："其恕 [1] 乎！己所不欲，勿施于人。"

Tsze-kung asked, saying, "Is there one word which may serve as a rule of practice for all one's life?" The Master said, "Is not reciprocity such a word? What you do not want done to yourself, do not do to others."

【注释】[1] 恕（shù）：仁恕。"恕"的基本含义是以己度人，将心比心，对别人要像对自己一样。《汉语大词典》释"恕"："推己及人，仁爱待物。"

【译文】子贡问道："有没有一个字可以终身遵照的呢？"孔子说："那大概是'恕'吧！

自己不想要的，也不要强加给别人。"

【解读】心中容得下别人，才能让对方容得下你；懂得尊重别人，才能让对方尊重你。"己所不欲，勿施于人"这句话，君子把它奉为金科玉律，也早已成了我们的行为准则。孔子强调做人做事不能以自我为中心，只站在自己的角度考虑问题，要学会换位思考，将心比心。这是永恒的信念，其价值跨越时空依然熠熠生辉、永不褪色。

15.24

子曰："吾之于人也，谁毁谁誉？如有所誉者，其有所试矣。斯民也，三代之所以直道而行也。"

The Master said, "In my dealings with men, whose evil do I blame, whose goodness do I praise, beyond what is proper? If I do sometimes exceed in praise, there must be ground for it in my examination of the individual. This people supplied the ground why the three dynasties pursued the path of straightforwardness."

【译文】孔子说："我对于人，诋毁过谁？赞誉过谁？如果有所赞誉的，那是经过事实验证的。因有民众的检验，所以夏商周三代得以直道而行。"

【解读】 孔子在此章中告诉人们：不能主观随意地加以毁誉，如果一定要批评或赞美，就要经过事实的检验，实事求是地讲出来。孔子很少批评人，即使批评也绝不是不负责任地诋毁，而是就事论事，以期激励人们明辨是非、从善如流。同样地，孔子也不会盲目地去赞美一个人，他所赞美的一定经得起时间和民众的检验。今天我们常常用"直道而行"来比喻办事公正。总之，评价他人要公正，不是出于自己的好恶。

15.25

子曰："吾犹及史之阙文也，有马者借人乘之，今亡矣夫！"

The Master said, "Even in my early days, a historiographer would leave a blank in his text, and he who had a horse would lend him to another to ride. Now, alas! there are no such things."

【译文】孔子说："我好像看到某部史书有缺漏的文字，原来的本子有'有马者借人乘之'这句话，今天看到的本子没有了。"

【解读】此章，注家多认为孔子以"有马自己不能调良而借人乘习"为喻，喻书有阙文而己不能定且暂缺之，有待别人定之。这样理解于理尚通，但总觉曲而不直。不如这样理解：孔子说："我好像看到某部史书有缺漏的文字，以前看到的本子有'有马者借人乘之'这句话，今天看到的本子没有了。"如此理解，文理皆通。孔子说这话的意思是，古代书文经后人辗转传抄，往往有缺漏，提醒人们阅读古书时，留意这种情况。孔子一生阅读古书甚多，整理六经等典籍多种，因此，谈及史书阙文，是很自然的事。

15.26

子曰："巧言乱德。小不忍则乱大谋。"

The Master said, "Specious words confound virtue. Want of forbearance in small matters confounds great plans."

【译文】孔子说："花言巧语会惑乱道德。小事不能忍耐就会坏了大的谋划或大事情。"

【解读】俗话说："忍一时风平浪静，退一步海阔天空"，很显然，孔子在这里不是说做人要软弱，"忍"也不是告诫世人要学会退缩和放弃。孔子的真正意图，是希望人们有定力的同时，还要拥有豁达的胸襟。不要在琐碎的小事上计较、纠结，而应把眼光放得高远一些，这样才不致"乱大谋"，最终才能成大事。

15.27

子曰："众恶之，必察焉；众好之，必察焉。"

The Master said, "When the multitude hate a man, it is necessary to examine into the case. When the multitude like a man, it is necessary to examine into the case."

【译文】孔子说："众人都厌恶他，一定要考察；众人都喜欢他，也一定要考察。"

【解读】我们常说："群众的眼睛是雪亮的"，此话有一定的道理。那么，我们可不可以依此判定：众人厌恶的就是恶人，众人喜好的就是好人？很显然，未必。有时众人不明真相，可能会被表面现象所迷惑（明臣袁崇焕的遭遇就是一例），也可能会因从众心理而选择人云亦云。很多时候，有些人会为了正义而特立独行，从而招致众人的厌恶；有些人则会为了名誉而选择道貌岸然，进而受到众人的喜爱。请铭记：君子应明辨，不人云亦云。

15.28

子曰："人能弘道，非道弘人。"

The Master said, "A man can enlarge the principles which he follows; those principles do not enlarge the man."

【译文】孔子说："人能够使道发扬光大，不是道能弘扬人。"

【解读】"人能弘道"，容易理解。"非道弘人"，十分难解。实际上，道（指好的思想道德学说）是能使人伟大起来的。孔子如此说的用意大概是：人是活的，是可以主动的；道是静止的，它不可能主动去弘人。具备主动能力的人，应积极主动，去求道、学道、践道、宣传弘扬道；这么做的人多了，天下人受到道的教化，这自然便是道弘人了。

15.29

子曰："过而不改，是谓过矣。"

The Master said, "To have faults and not to reform them, this, indeed, should be pronounced having faults."

【译文】孔子说："犯了过错而不改正，这才叫过错呢。"

【解读】智者是怎样炼成的？就是在错误中吸取教训、总结经验，最终将错误消弭于无形，慢慢成长的。在错误面前执迷不悟，不思悔改的，就成为愚者。知错就改，是做人的传统美德。

15.30

子曰："吾尝终日不食，终夜不寝，以思，无益，不如学也。"

The Master said, "I have been the whole day without eating, and the whole night without sleeping: — occupied with thinking. It was of no use. The better plan is to learn."

【译文】孔子说："我曾经整天不吃饭，整夜不睡觉，用来思考，结果并没好处，还不如去学习。"

【解读】有人说，只有独立思考才是一个人真正的灵魂，我们当然不能否认思考的重要性。但在思考不通的情况下，要想到去求教，去学习。光苦思冥想不能完全解决现实中的问题，还需要回到现实中，回到充满智慧的书籍里，寻找解决问题的方法或答案。这句话可与"学而不思则罔，思而不学则殆"联系起来理解。

15.31

子曰："君子谋道不谋食。耕也，馁[1]在其中矣。学也，禄在其中矣。君子忧道不忧贫。"

The Master said, "The object of the superior man is truth. Food is not his object. There is plowing; — even in that there is sometimes want. So with learning; — emolument may be found in it. The superior man is anxious lest he should not get truth; he is not anxious lest poverty should come upon him."

【注释】[1] 馁（něi）：饥饿。

【译文】孔子说："君子谋求道而不谋求饭食。耕种，有时也会饿肚子。学习，却可以得到俸禄。君子担忧道不能行，不担忧是否贫穷。"

子曰君子謀道
不謀食耕也餒
在其中矣學也
祿在其中矣君
子憂道不憂貧

語出衛靈公篇

己亥秋月張仲亭書

录《论语》句　张仲亭　书

【解读】人活于世，是该"谋道"还是"谋食"？这或许是每个人都会面临的选择。不同的选择就会造就不一样的人生。君子当然要以"谋道"为己任，这样才能体现个体生命的意义和价值。如果没有"谋道"的君子，导致道不能弘扬光大，那么整个社会就会陷入弱肉强食、昏暗腐朽的境地。社会无序，道德丧失，盗贼四起，"谋食"也将无从谈起。

15.32

子曰："知及之 [1]，仁不能守之，虽得之，必失之。知及之，仁能守之，不庄以莅之，则民不敬。知及之，仁能守之，庄以莅之，动之不以礼，未善也。"

The Master said, "When a man's knowledge is sufficient to attain, and his virtue is not sufficient to enable him to hold, whatever he may have gained, he will lose again. When his knowledge is sufficient to attain, and he has virtue enough to hold fast, if he cannot govern with dignity, the people will not respect him. When his knowledge is sufficient to attain, and he has virtue enough to hold fast; when he governs also with dignity, yet if he try to move the people contrary to the rules of propriety: — full excellence is not reached."

【注释】［1］知：智。之：指官位，统治地位。

【译文】孔子说："以智慧得到了官位，却不能用仁德守持它，虽然得到了它，也必定会失掉它；以智慧得到了官位，也能用仁德守持它，却不用庄重的态度临官而履行职务，那么百姓也不会尊敬他；以智慧得到了官位，也能用仁德守持它，也能庄重的态度临官履职，却动用职权不按礼仪，那么还是未达到尽善的地步。"

【解读】这是孔子针对当权者、有较高地位的人所说的话。怎样才能使得以自己的才智争取到的官位稳固呢？孔子直截了当"用仁"。孟子也曾说："天子不仁，不保四海。诸侯不仁，不保社稷。"仁政，是儒家思想的核心，那就要在德性上下功夫。德是立身之本，为政者有才无德也枉然，从古至今，向来如此。没有仁德的人，贪赃枉法之类无所不为，根本不用提全心全意为民众服务。即便是有仁德，如果不能恪尽职守，也不是一位合格的执政者；哪怕是前边的德行都具备了，如不按礼仪行使自己的权力，那也不是一位完美的执政者。常怀仁爱之心，面对百姓的时候要有严肃认真的态度，对自己手中的权力要有敬畏之心。这就是孔子的为政之道。

15.33

子曰："君子不可小知[1]，而可大受也；小人不可大受，而可小知也。"

The Master said, "The superior man cannot be known in little matters; but he may be intrusted with great concerns. The small man may not be intrusted with great concerns, but he may be known in little matters."

【注释】［1］知：验知。

【译文】孔子说："君子不可以通过一些小事情来了解、考验，却可以接受重任；小人不可以接受重任，但可以通过一些小事情来了解、考验。"

【解读】孔子这里所说的君子与小人，并不是依据道德品质的高低来划分的，而是从能力大小的角度来定义的。孔子认为，君子志向远大，可担大任，不可局于小事。若时时局于小事，则君子亦小人。小人虽无济世经邦之才，难堪重任，却也有一技之长。由此，我们也可以看出孔子观人用人之法。

15.34

子曰："民之于仁也，甚于水火。水火，吾见蹈而死者矣，未见蹈仁而死者也。"

The Master said, "Virtue is more to man than either water or fire. I have seen men die from treading on water and fire, but I have never seen a man die from treading the course of virtue."

【译文】孔子说："民众对于仁德的急需，超过对水和火的急需。水和火，我见到踏进去而死的人，而没见过践行仁德而死的人。"

【解读】自古及今，水与火都是人们离不开的物质生活保障，但在孔子看来，还有比它们更为急需的东西，那就是仁德这种精神层面的追求。孔子生活的时代，礼崩乐坏，世风日下，他看到世人行之匆匆，为了谋生而对水火之物趋之若鹜，对仁义道德却淡漠甚至忘却。读此章，我们似乎感到了孔子的失望，但掩卷而思，这更像是他对世人的激励。今日中国的大多数家庭物质相对富足，我们在享受幸福生活的同时也不应忘记——对于仁义道德的恪守是永远不过时的命题。

15.35

子曰："当仁不让于师。"

The Master said, "Let every man consider virtue as what devolves on himself. He may not yield the performance of it even to his teacher."

【译文】孔子说："面对行仁德的事情，即使是老师，也不能谦让。"

【解读】"当仁不让于师"这种坚定的态度，其底气来自自信，自信来自仁的能量。人们不能因为对师长的敬重，就在"仁道"面前礼让。这是原则问题，否则便是"见义不为，无勇也"的懦夫行径了。"当仁不让"也成了后世广泛使用的成语。

15.36

子曰："君子贞^[1] 而不谅^[2]。"

The Master said, "The superior man is correctly firm, and not firm merely."

【注释】［1］贞：正。［2］谅：信。

【译文】孔子说："君子正直，却不固执地死守小信。"

【解读】"贞而不谅"，孔子似乎在告诉人们"信"也有大小之分。许下的承诺如果符合仁义这个大原则，人们当然要坚定地践行；反之，就算是不践行也不必责备，大是大非面前，君子有所舍弃。就如在现代社会中，诚信，也要在不违背道德、法律的前提下信守承诺。

15.37

子曰："事君，敬其事而后其食^[1]。"

The Master said, "A minister, in serving his prince, reverently discharges his duties, and makes his emolument a secondary consideration."

【注释】［1］食：指俸禄。

【译文】孔子说："侍奉君主，应当先敬谨地做事，然后再考虑俸禄。"

【解读】"无功不受禄"，这与孔子所言有异曲同工之妙。"敬事"就是用虔敬的态度对待自己的职责和工作，严肃认真，一丝不苟。孔子所说的"事君"，当然有其时代的局限性。但是，做任何事情，都必须首先具有"敬事"的态度才能做好，这是毋庸置疑的。

15.38

子曰："有教无类。"

The Master said, "In teaching there should be no distinction of classes."

【译文】孔子说："教育学生，不要分类别。"

【解读】人或许生而有别，但在教育面前，没有贫富贵贱之分。孔子打破了身份、地位、年龄、资质等方面的界限，在具体的教学实践中，对包括他儿子及乡野莽夫在内的学生，都能做到一视同仁。对教育来说，如是；对为政来说，亦如是。

张博 制

15.39

子曰："道不同，不相为谋。"

The Master said, "Those whose courses are different cannot lay plans for one another."

【译文】孔子说："志向不同，思想主张不同，不相与谋划。"

【解读】人各有志，因为价值观的不同，人们追求的人生理想和选择的人生道路也不尽相同。"道不同"是不可调和的，仁道与杀戮不相匹配，坦荡君子与趋利小人也没有共同语言。与道不同之人一起为谋，就有可能丧失自我，甚至助纣为虐。

15.40

子曰："辞达而已矣。"

The Master said, "In language it is simply required that it convey the meaning."

【译文】孔子说："言辞能表达明白意思就可以了。"

【解读】"清水出芙蓉，天然去雕饰。"语言是人们交流思想的工具，它们的作用就是表情达意。孔子认为，在与别人交流时只要把自己的意思表达清楚即可，不用多加文饰。说话人假若絮絮叨叨、没完没了，就有可能影响对方理解自己的真实意思，甚至会导致别人心生厌烦。当下有人说话喜欢滔滔不绝、长篇大论，早已偏离了"辞达"的标准。殊不知，这样做换来的可能是"言多必失"的窘迫。

15.41

师冕[1]见，及阶，子曰："阶也。"及席，子曰："席也。"皆坐，子告之曰："某在斯，某在斯。"师冕出，子张问曰："与师言之道与？"子曰："然，固相师之道也。"

The music master, Mien, having called upon him, when they came to the steps, the Master said, "Here are the steps." When they came to the mat for the guest to sit upon, he said, "Here is the mat." When all were seated, the Master informed him, saying, "So and so is here; so and so is here." The music master, Mien, having gone out, Tsze-chang asked, saying, "Is it the rule to tell those things to the music master?" The Master said, "Yes. This is certainly the rule for those who lead the blind."

【注释】［1］师冕：盲人乐师，名冕。

【译文】乐师冕来见孔子，走到台阶前，孔子说：
"这是台阶。"走到座席旁，孔子说："这
是座席。"大家都坐下来，孔子告诉他："某
某人在这里，某某人在这里。"冕走了以后，
子张问道："这是同盲师讲话的礼道吗？"
孔子说："是的，这本来就是帮助盲师的礼
道。"

【解读】一个人专于尊重强者，不是君子的行为。
只有学会尊重弱势群体，或者不如自己的人，
才具备了君子的品德。毫无疑问，盲人在古
代也属于社会上的弱者，他们的生活难以自
理，处处需要别人的帮助。孔子与他们交流
过程中的言行举止，为世人做了标准的道德
示范。尤其是从他与子张的对话中可以看出，
孔子对于乐师的帮助不是作秀，而是一种自
内而外的仁爱之心的体现。助人为乐，真诚
友善，不正是我们创建文明社会、和谐社会
的应有之义吗？

季氏第十六

16.1

　　季氏将伐颛臾[1]。冉有、季路见于孔子曰："季氏将有事于颛臾。"孔子曰："求！无乃尔是过与？夫颛臾，昔者先王以为东蒙主，且在邦域之中矣，是社稷之臣也。何以伐为？"冉有曰："夫子欲之，吾二臣者皆不欲也。"孔子曰："求！周任有言曰：'陈力就列[2]，不能者止。'危而不持，颠而不扶，则将焉用彼相矣？且尔言过矣，虎兕出于柙[3]，龟玉毁于椟[4]中，是谁之过与？"冉有曰：今夫颛臾，固而近于费，今不取，后世必为子孙忧。"孔子曰："求！君子疾夫舍曰欲之而必为之辞。丘也闻有国有家者，不患寡而患不均，不患贫而患不安[5]。盖均无贫，和无寡，安无倾。夫如是，故远人不服，则修文德以来之。既来之，则安之。今由与求也，相夫子，远人不服，而不能来也；邦分崩离析，而不能守也，而谋动干戈于邦内。吾恐季孙之忧不在颛臾，而在萧墙^[6]之内也。"

The head of the Chi family was going to attack Chwan-yu. Zan Yu and Chi-lu had an interview with Confucius, and said, "Our chief, Chi, is going to commence operations against Chwan-yu." Confucius said, "Ch'iu, is it not you who are in fault here? Now, in regard to Chwan-yu, long ago, a former king appointed its ruler to preside over the sacrifices to the eastern Mang; moreover, it is in the midst of the territory of our state; and its ruler is a minister in direct connexion with the sovereign: What has your chief to do with attacking it?" Zan Yu said, "Our master wishes the thing; neither of us two ministers wishes it." Confucius said, "Ch'iu, there are the words of Chau Zan, — 'When he can put forth his ability, he takes his place in the ranks of office; when he finds himself unable to do so, he retires from it. How can he be used as a guide to a blind man, who does not support him when tottering, nor raise him up when fallen?' And further, you speak wrongly. When a tiger or rhinoceros escapes from his cage; when a tortoise or piece of jade is injured in its repository: whose is the fault?" Zan Yu said, "But at present, Chwan-yu is strong and near to Pi; if our chief do not now take it, it will hereafter be a sorrow to his descendants." Confucius said, "Ch'iu, the superior man hates that declining to say 'I want such and such a thing,' and framing explanations for the conduct. I have heard that rulers of states and chiefs of families are not troubled lest their people should be few, but are troubled lest they should not keep their several places; that they are not troubled with fears of poverty, but are troubled with fears of a want of contented repose among the people in their several places. For when the people keep their several places, there will be no poverty; when harmony prevails, there will be no scarcity of people;

and when there is such a contented repose, there will be no rebellious upsettings. So it is. Therefore, if remoter people are not submissive, all the influences of civil culture and virtue are to be cultivated to attract them to be so; and when they have been so attracted, they must be made contented and tranquil. Now, here are you, Yu and Ch'iu, assisting your chief. Remoter people are not submissive, and, with your help, he cannot attract them to him. In his own territory there are divisions and downfalls, leavings and separations, and, with your help, he cannot preserve it. And yet he is planning these hostile movements within the state. — I am afraid that the sorrow of the Chi-sun family will not be on account of Chwan-yu, but will be found within the screen of their own court."

【注释】［1］颛臾（zhuān yú）：国名，故址在今山东省费县西北。［2］陈力就列：施展才能就任职位。[3]兕（sì）：雌性犀牛。柙（xiá）：木笼。[4]椟（dú）：匣子。[5]不患寡而患不均，不患贫而患不安：当为不患贫而患不均，不患寡而患不安。[6]萧墙：门屏。古代宫室用以分隔内外的当门小墙。

【译文】季康子将去讨伐颛臾。冉有、子路进见孔子，说："季氏将对颛臾发动战争。"孔子说："冉求！这恐怕是你的过失吧！颛臾，从前先代君王已封它做东蒙山的主祭者，而且在鲁国疆域之内，是国家的臣属，为什么要讨伐它呢？"冉有说："季氏老夫子想讨伐它，我们两个臣下都不想这么做。"孔子说："冉求！良史周任有句话说：'能在所任职位上施展才力就干下去，不能的话就辞职。'有了危险而不去护持，将要跌倒而不去搀扶，那又何必用你这个相导呢？并且你的话也是错误的，老虎、犀牛从笼子里跑出来，龟甲、美玉在匣子里放坏了，这是谁的过错呢？"

冉有说："现在颛臾，城墙坚固而且离费邑
很近，今天不取得它，后世一定会成为子孙
的忧患。"孔子说："冉求！君子最憎恨那
种不直说自己想要而一定编些托词的做法。
我孔丘听说：有国的诸侯或有家的大夫，不
怕财富少，而怕分配不均；不怕人民少，而
怕不安定。分配平均了，也就没有贫穷；民
众和谐团结了，也就不显得人少；国家安定，
就不容易倾覆。正因为这样，所以远处的人
不服，就用仁、义、礼、乐招徕他们。既然
来了，就好好安顿他们。如今你仲由和冉求，
相助季氏，远处的人不服，不能招徕他们；
国家分崩离析，你们不能守护，反而谋划在
国内大动干戈。我担心季氏的忧患不在颛臾，
而在自己的门屏之内。"

【解读】本章论述季氏将要讨伐颛臾的事情，
反映了当时大夫叛乱、陪臣持国的政治乱象，
表明了孔子修文德治天下的观点。孔子主张

以仁、礼解决争端，提倡以和为贵，反对不义的兼并战争，他希望通过恢复古代的礼制而非暴力的方式来实现和平。孔子提出了治国应遵循的三个重要原则：均无贫，和无寡，安无倾。"均无贫"不是指平均分配，而是要均衡，既要多劳多得，还要照顾孤寡贫病，不怕财富少，就怕分配不公；"和无寡"是指社会关系的和谐，即使国家人少，只要上下和睦，同心同德，就具有强大力量；"安无倾"是指社会秩序的稳定，以法律制度约束君臣行为，人人遵纪守法，社会良性发展，人民安居乐业，国家富足强盛。孔子提出的这三点治国良策，对于当今社会实现公平、正义仍具有一定的指导意义。

16.2

　　孔子曰："天下有道，则礼乐征伐自天子出；天下无道，则礼乐征伐自诸侯出。自诸侯出，盖十世希[1]不失矣；自大夫出，五世希不失矣；陪臣[2]执国命，三世希不失矣。天下有道，则政不在大夫。天下有道，则庶人不议。"

Confucius said, "When good government prevails in the empire, ceremonies, music, and punitive military expeditions proceed from the son of Heaven. When bad government prevails in the empire, ceremonies, music, and punitive military expeditions proceed from the princes. When these things proceed from the princes, as a rule, the cases will be few in which they do not lose their power in ten generations. When they proceed from the great officers of the princes, as a rule, the cases will be few in which they do not lose their power in five generations. When the subsidiary ministers of the great officers hold in their grasp the orders of the state, as a rule, the cases will be few in which they do not lose their power in three generations. When right principles prevail in the kingdom, government will not be in the hands of the great officers. When right principles prevail in the kingdom, there will be no discussions among the common people."

【注释】［1］希：同"稀"，少。［2］陪臣：大夫的家臣。

【译文】孔子说："天下有道，制礼作乐和出兵打仗等重大事情都由天子决定；天下无道，制礼作乐和出兵打仗等重大事情都由诸侯决定。由诸侯决定，大概传到十代，政权很少有不失掉的；由大夫决定，传到五代，政权很少有不失掉的；由家臣把持国家政权，传到三代，

很少有不失掉的。天下有道，国家政权就不
会落在大夫手中。天下有道，老百姓就不会
议论纷纷。"

【解读】本章是孔子对春秋时代政治形势的分
析，他对东周历史的发展过程有一个总体的
评价。孔子十分推崇"天下有道"的上古时代，
强烈希望国家统一，政治清明。但当时礼崩
乐坏，政权下移，以至陪臣持命，国家动乱
不堪，民不聊生。孔子对政权变动的现状表
达了无奈和感慨，寄希望于通过恢复礼制实
现治理社会的目的。对于从政者来说，治理
得好，百姓就不会议论批评；治理得不好，
百姓当然会责怨批评。这一点对从政者是非
常有益的警示。

16.3

孔子曰："禄^[1]之去公室五世矣，政逮于大夫四世矣，故夫三桓^[2]之子孙微矣。"

Confucius said, "The revenue of the state has left the ducal house now for five generations. The government has been in the hands of the great officers for four generations. On this account, the descendants of the three Hwan are much reduced."

【注释】[1]禄：爵禄，此指鲁国授官颁爵的权力。[2]三桓：鲁国司空仲孙、司马叔孙、司寇季孙同为鲁桓公之孙，故称。

【译文】孔子说："鲁国的权力从君主手中失掉已经五代了，政权落到大夫手里已经四代了，因此鲁国三家的子孙已经衰微了。"

【解读】本章承接前文，是孔子对国家政治和历史做出的论断，以鲁国三桓的事例来说明礼乐征伐自大夫出的后果，孔子预言三桓子孙衰微也暗示了季氏家臣阳虎执国命的趋势。孔子通过论述鲁国政治形势来反映无道之世。在他看来，不义的战争是对礼乐文化的践踏，通过不义战争获得的政权极不稳定，只会使社会更加混乱不堪。孔子批判政在大夫的后果，也是寄希望于在那样一个家族专权的时代，执政者能够听取规劝，接受其"德政"的政治思想。

16.4

孔子曰："益者三友，损者三友。友直，友谅[1]，友多闻，益矣。友便辟[2]，友善柔[3]，友便佞[4]，损矣。"

Confucius said, "There are three friendships which are advantageous, and three which are injurious. Friendship with the upright; friendship with the sincere; and friendship with the man of much observation: these are advantageous. Friendship with the man of specious airs; friendship with the insinuatingly soft; and friendship with the glib-tongued: — these are injurious."

【注释】［1］谅：信。［2］便辟 (pián pì)：阿谀逢迎。［3］善柔：善于柔媚令色。［4］便佞 (pián nìng)：花言巧语。

【译文】孔子说："有益的朋友有三种，有害的朋友有三种。跟正直的人交朋友，跟诚信的人交朋友，跟博学多闻的人交朋友，有益处。跟阿谀逢迎的人交朋友，跟善于柔媚令色的人交朋友，跟花言巧语的人交朋友，有害处。"

【解读】孔子所讲的交友之道，我们仍具有重要的参考价值。朋友乃五伦之一，交友必须谨慎。朋友关系，会影响我们的三观及事业发展。"近朱者赤，近墨者黑"，基于此，孔子提出了交益友、离损友的基本原则。与谁为伍至关重要，应该考虑和哪些人交往，信任哪些人，哪些人对自己有帮助。不管与谁交往，都要先考虑对方的道德品质。

16.5

孔子曰："益者三乐,损者三乐。乐节礼乐,乐道人之善,乐多贤友,益矣。乐骄乐,乐佚游,乐宴乐,损矣。"

Confucius said, "There are three things men find enjoyment in which are advantageous, and three things they find enjoyment in which are injurious. To find enjoyment in the discriminating study of ceremonies and music; to find enjoyment in speaking of the goodness of others; to find enjoyment in having many worthy friends: — these are advantageous. To find enjoyment in extravagant pleasures; to find enjoyment in idleness and sauntering; to find enjoyment in the pleasures of feasting: — these are injurious."

【译文】孔子说: "有益的喜好有三种, 有损害的喜好有三种。喜好用礼乐调节自己，喜好谈别人的优点，喜好多交贤良朋友，有益处；喜好骄纵作乐，喜好放逸游荡，喜好花天酒地，有害处。"

【解读】本章孔子讲人的兴趣爱好应该是健康的、有益的，意在教导弟子以礼乐调节自身，称道扬善，多交贤友。从政者应培养高尚志趣，远离低级趣味。如果当时的君主能具备这样的品质，自然就不会发动不义战争来夺取别人的土地了。兴趣是最好的老师，兴趣也是道德培养的引路者。好的兴趣可以指引人们向上向善，增加知识储备，提高个人修养；不好的兴趣有可能引人误入歧途，乃至堕入深渊。从政者应以身作则，培养自身良好的兴趣爱好，摒弃大肆宴请、到处游乐的不当行为。

孔子曰益者三樂損者三樂 庚子春月吳磊於京華畫

益者三乐，损者三乐　吴磊　绘

16.6

孔子曰："侍于君子有三愆[1]：言未及之而言谓之躁，言及之而不言谓之隐，未见颜色而言谓之瞽。"

Confucius said, "There are three errors to which they who stand in the presence of a man of virtue and station are liable. They may speak when it does not come to them to speak; this is called rashness. They may not speak when it comes to them to speak; this is called concealment. They may speak without looking at the countenance of their superior; this is called blindness."

【注释】［1］愆（qiān）：过失。

【译文】孔子说："侍奉君子往往有三种过失：话没到该说的时候却说了，叫作急躁；话到了该说的时候却不说，叫作隐瞒；不看看君子的脸色而贸然开口，叫作瞎眼。"

【解读】本章是孔子教导弟子如何侍上的人生经验。面对各种错综复杂的人生关系——如后辈对长辈，下属对上级等，如何说话是每个人必须认真思考的问题。孔子强调，与上级在一起，应明确认识自己的身份、地位，说话要选择适当时机，否则就会出现过失。不能毛躁乱说，也不能当说不说，更不能无视尊长瞎说。孔子的这些话，对于我们处好各种人际关系都具有普遍性的指导意义。与人交往时要沉着稳重，察言观色，见机而言，说话要说到点子上，不要急躁冒昧，言不及义，目无尊长。

孔子曰君子有
三戒少之時血
氣未定戒之在
色及其壯也血
氣方剛戒之在
斗及其老也血
氣既衰戒之在
得

語出季氏篇第七章

乙亥秋月張仲亭書

录《论语》句　张仲亭　书

16.7

孔子曰："君子有三戒：少之时，血气未定，戒之在色；及其壮也，血气方刚，戒之在斗；及其老也，血气既衰，戒之在得。"

Confucius said, "There are three things which the superior man guards against. In youth, when the physical powers are not yet settled, he guards against lust. When he is strong and the physical powers are full of vigor, he guards against quarrelsomeness. When he is old, and the animal powers are decayed, he guards against covetousness."

【译文】孔子说："君子有三种戒忌：少年的时候，血气还未固定，应戒忌的是女色；到了壮年之时，血气正旺盛刚烈，应戒忌与人争斗；到了老年，血气已经衰退，应戒除贪得无厌。"

【解读】本章孔子指出君子在不同时期应警戒的三件事。孔子以血气盈虚为依据，指出君子在人生的少年、壮年、老年应分别戒色、戒斗、戒得。现实生活中，有的年轻人因纵欲消磨了志气，损伤了身体，而萎靡不振；有的壮年人，为私利争强好胜，不择手段，危害他人而锒铛入狱；有的老年人，以前朝气蓬勃，奋斗不已，到老以为时日不多，就抓紧时间安逸享乐，患得患失，为攫取金钱、名利、地位铤而走险，以致晚节不保，毕生功绩毁于一旦。人的一生，如履薄冰，"色、斗、得"对人各个阶段都有害无益，不能不对此提高警惕。

16.8

孔子曰："君子有三畏：畏天命，畏大人，畏圣人[1]之言。小人不知天命而不畏也，狎[2]大人，侮圣人之言。"

Confucius said, "There are three things of which the superior man stands in awe. He stands in awe of the ordinances of Heaven. He stands in awe of great men. He stands in awe of the words of sages. The mean man does not know the ordinances of Heaven, and consequently does not stand in awe of them. He is disrespectful to great men. He makes sport of the words of sages."

【注释】[1]圣人：品德、智慧至高者。[2]狎（xiá）：轻慢。

【译文】孔子说："君子有三种敬畏：敬畏天命，

敬畏居于高位的大人，敬畏圣人的话。小人
不知天命不可违而不敬畏，轻慢地位高贵的
人，轻侮圣人的话。"

【解读】本章孔子告诫人们应该敬畏的事情。
君子与小人由于身份地位及学识修养的不同，
对天命、大人、圣人之言的态度也不一样，
君子对此敬畏，而小人则轻侮傲慢。敬畏一
词侧重尊敬，而不是畏惧、害怕。孔子对天
命即天道运行的规律谙熟于心，多不言及，
弟子们对此也不易理解。孔子对天命极其敬
畏，当他蒙难不顺时，常常呼天。中国自古
就有对"天地君亲师"祭祀膜拜的风俗传统，
这体现出儒家思想所代表的敬天法地、孝亲
尊长、尊师重教的价值取向，而这也是我们
社会和谐、国家安定、民族兴旺的基石。

16.9

孔子曰："生而知之者，上也；学而知之者，次也；困而学之，又其次也；困而不学，民斯为下矣。"

Confucius said, "Those who are born with the possession of knowledge are the highest class of men. Those who learn, and so, readily, get possession of knowledge, are the next. Those who are dull and stupid, and yet compass the learning, are another class next to these. As to those who are dull and stupid and yet do not learn; they are the lowest of the people."

【译文】孔子说："生下来就什么都知道的，是上等人；经过学习才知道的，是次一等的人；遇到困惑才学习的，又次一等；遇到困惑仍不学习的人就是下等的了。"

【解读】孔子把人分为生而知之、学而知之、困而学之、困而不学四个层次，强调了学习的重要性。"生而知之"，有的人天生聪慧，在某些方面无师自通，不学就会。而这种人万中无一，就连孔子也说自己"我非生而知之者，好古，敏以求之者也"。"学而知之"，善于通过学习充实提高自己，这体现了人的主观能动性。这个境界，人人可以达到，就看你愿不愿意。"困而学之"，遇到困惑才知道学习，这是被动的学习者。"困而不学"，遇到困惑仍不知学习，这是惰者，是不求进步者。孔子如此分层次，目的是勉励人们"学而知之"，自觉主动地学习，"学而不厌，诲人不倦"。

16.10

孔子曰："君子有九思：视思明，听思聪，色思温，貌思恭，言思忠，事思敬，疑思问，忿思难 [1]，见得思义。"

Confucius said, "The superior man has nine things which are subjects with him of thoughtful consideration. In regard to the use of his eyes, he is anxious to see clearly. In regard to the use of his ears, he is anxious to hear distinctly. In regard to his countenance, he is anxious that it should be benign. In regard to his demeanor, he is anxious that it should be respectful. In regard to his speech, he is anxious that it should be sincere. In regard to his doing of business, he is anxious that it should be reverently careful. In regard to what he doubts about, he is anxious to question others. When he is angry, he thinks of the difficulties (his anger may involve him in). When he sees gain to be got, he thinks of righteousness."

【注释】［1］难：危难、祸患。

【译文】孔子说："君子有九个要思考的地方：看，要注意看明白；听，要注意听清楚；脸色，要注意温和；容貌态度，要注意恭敬；说话，要注意忠诚；办事，要注意敬慎；有疑问，要用心询问；发怒时，要想到后患；见到利益，要想到道义。"

【解读】本章孔子从九个方面具体讲解了君子的道德规范，几乎把人的言行举止都囊括了。这些规范是孔子对君子的道德要求，指明了君子应该思虑的九项原则。孔子如此谆谆教导，就是告诫弟子要思而后行，从点滴做起，从实践中探索，从而提高修养。对今人来说，做到这九个方面确实不易，形成习惯更难。但只要以此为鉴，经常对照检查自己的行为，道德、学问、事业一定会大有长进。

16.11

孔子曰："见善如不及，见不善如探汤。吾见其人矣，吾闻其语矣。隐居以求其志，行义以达其道。吾闻其语矣，未见其人也。"

Confucius said, "Contemplating good, and pursuing it, as if they could not reach it; contemplating evil, and shrinking from it, as they would from thrusting the hand into boiling water: — I have seen such men, as I have heard such words. Living in retirement to study their aims, and practising righteousness to carry out their principles: — I have heard these words, but I have not seen such men."

【译文】孔子说："看见善良，像赶不上一样急切追求；看见邪恶，像用手试探开水一样急忙躲开。我见到过这样的人，我也听到过这样的话。避世隐居以求保全自己的志向，多行义事以实现自己的思想主张。我听到过这样的话，但没见到过这样的人。"

【解读】孔子善恶分明，趋善避恶，主张身体力行。孔子认为，一个人行善修德，应保持高度的自觉性，具有勇于担当的精神。要有坚定的信念，哪怕是自己的理想无法实现，也要不惧艰险，迎难而上。历史上无数志士仁人无不如此。如同林则徐诗中所言："苟利国家生死以，岂因祸福避趋之。"人生在世，当勇挑重担，担当起社会责任。在当时礼崩乐坏的社会环境下，隐居避世洁身自好不失为一种人生选择，但是要实现"行义以达其道"的目标，只是说说罢了，是不可能的。隐士们不过是为自己逃避现实、推脱社会责任找借口，因此受到孔子的批评。

16.12

齐景公有马千驷^[1]，死之日，民无德而称焉。伯夷、叔齐饿于首阳之下，民到于今称之。其斯之谓与？

The duke Ching of Ch'i had a thousand teams, each of four horses, but on the day of his death, the people did not praise him for a single virtue. Po-i and Shu-ch'i died of hunger at the foot of the Shau-yang mountain, and the people, down to the present time, praise them. Is not that saying illustrated by this?

【注释】［1］有马千驷：指千乘之国。驷：古代四匹马驾一辆车，故称驷。

【译文】齐景公有千乘马车，死的时候，民众觉得他没有什么德行可以称颂的。伯夷、叔齐因让国而饿死在首阳山下，民众到今天还在称颂他。这说的是什么道理呢？

【解读】伯夷、叔齐让国，不贪富贵，品德高尚；不食周粟，坚持节义。虽然因贫困饿死在首阳山，但其品德节义一直受到后世称赞。相反，齐景公虽贵为大国君主，有马车千乘，威风八面，却无德无义，因而后世无人提及。百姓对历史人物的评价，向来把道德品行作为首要标准。流芳百世并不取决于一个人的地位或财富。有人虽然挣了大钱，做了高官，但品德不好，也不会得到人们的赞扬。美名因德而传，精神人格的高贵才是最重要的。

16.13

陈亢[1]问于伯鱼[2]曰:"子亦有异闻乎?"
对曰:"未也。尝独立,鲤趋而过庭。曰:'学
《诗》乎?'对曰:'未也。''不学《诗》,
无以言。'鲤退而学《诗》。他日,又独立,
鲤趋而过庭。曰:'学礼乎?'对曰:'未也。''不
学礼,无以立。'鲤退而学礼。闻斯二者。"
陈亢退而喜曰:"问一得三,闻《诗》,闻礼,
又闻君子之远其子也。"

Ch'an K'ang asked Po-yu, saying, "Have you
heard any lessons from your father different from
what we have all heard?" Po-yu replied, "No. He
was standing alone once, when I passed below the
hall with hasty steps, and said to me, 'Have you
learned the *Odes*?' On my replying 'Not yet,' he
added, 'If you do not learn the *Odes*, you will not
be fit to converse with.' I retired and studied the

Odes. Another day, he was in the same way standing alone, when I passed by below the hall with hasty steps, and said to me, 'Have you learned the rules of Propriety?' On my replying 'Not yet,' he added, 'If you do not learn the rules of Propriety, your character cannot be established.' I then retired, and learned the rules of Propriety. I have heard only these two things from him." Ch'ang K'ang retired, and, quite delighted, said, "I asked one thing, and I have got three things. I have heard about the *Odes*. I have heard about the rules of Propriety. I have also heard that the superior man maintains a distant reserve towards his son."

【注释】[1]陈亢：孔子弟子陈子禽。[2]伯鱼：孔子的儿子孔鲤。

【译文】陈亢向孔子的儿子伯鱼问道："你在先生那里听到过特别的教导吗？"伯鱼回

答说："没有。父亲他曾经一个人站在庭中，我恭敬地快步而过。他忽然问我说：'学《诗》了吗？'我回答说：'没有。'他说：'不学《诗》，无法讲话。'我退下后便学起《诗》来。又有一天，他又一个人站在庭中，我恭敬地快步而过。他问道：'学礼了吗？'我回答说：'没有。'他说：'不学礼，无法立身。'我退下后便学起礼来。我就听到这两点。"陈亢退下后很高兴地说："问一得知三，得知了学《诗》的道理，得知了学礼的道理，又得知君子不私爱自己的儿子。"

【解读】本章说明了孔子对儿子和学生一视同仁，同时也说明了孔子对礼乐文化的推崇。《诗》与"礼"是孔子传道授业的必修科目，他对自己儿子的教育也是从此入手。学《诗》可以陶冶情操，增长文采，对提高语言表达能力有重要作用。学"礼"可以知所进退，处世合宜，对立身处世、为官从政都有重大意义。孔子"诗礼传家"，对自己的儿子严格要求，这对我们今天仍有重要启示意义。

16.14

邦君之妻，君称之曰夫人，夫人自称曰小童，邦人称之曰君夫人，称诸异邦曰寡小君，异邦人称之亦曰君夫人。

The wife of the prince of a state is called by him FU ZAN. She calls herself HSIAO T'UNG. The people of the state call her CHUN FU ZAN, and, to the people of other states, they call her K'WA HSIAO CHUN. The people of other states also call her CHUN FU ZAN.

【译文】国君的妻子，国君称她为夫人，夫人自称为小童，本国人称她为君夫人；外国人称她为寡小君，外国人也称她君夫人。

【解读】本章谈论的是邦君之妻的称谓问题。孔子推崇礼制，讲求名正言顺。他从小处入手，从实际出发，以论述邦君之妻的称呼，来维护等级名分，希望恢复礼制。春秋末期，礼崩乐坏，文化的继承与发展陷入混乱，人与人之间的称谓也变得乱七八糟，失去了它本来的含义与作用。孔子特意提出周礼对国君妻子的称呼问题，有拨乱反正之意，以期社会回到合乎礼制的轨道上来。现代社会，人际交往中，正确称呼他人，不仅是对对方的尊重，也是一个人良好素质的体现。称呼他人合乎规范，符合礼仪要求，则受人尊重，彼此愉悦，否则就会引发矛盾，令人不快。

阳货第十七

17.1

阳货[1]欲见孔子，孔子不见，归孔子豚[2]。孔子时其亡也而往拜之[3]，遇诸涂。谓孔子曰："来，予与尔言。"曰："怀其宝而迷其邦，可谓仁乎？"曰："不可。""好从事而亟[4]失时，可谓知乎？"曰："不可。""日月逝矣，岁不我与。"孔子曰："诺，吾将仕矣。"

Yang Ho wished to see Confucius, but Confucius would not go to see him. On this, he sent a present of a pig to Confucius, who, having chosen a time when Ho was not at home, went to pay his respects for the gift. He met him, however, on the way. Ho said to Confucius, "Come, let me speak with you." He then asked, "Can he be called benevolent who keeps his jewel in his bosom, and leaves his country to confusion?" Confucius replied, "No." "Can he be called wise, who is anxious to be engaged in public employment, and yet is constantly losing the opportunity of being so?" Confucius again said, "No." "The days and months are passing away; the years do not wait for us." Confucius said, "Right; I will go into office."

【注释】［1］阳货：又叫阳虎，季氏的家臣。［2］归（kuì）：同"馈"，赠。豚（tún）：小猪。［3］时：通"伺"，等候。亡（wú）：无，指没在家。［4］亟（qì）：屡次。

【译文】阳货想见孔子，孔子不见，阳货馈赠孔子小猪，想让孔子来拜谢。孔子等到他不在家时而前往拜谢，不巧又在路上遇见了阳货。阳货对孔子说："过来，我和你谈谈。"接着说："身怀治国本领却面对邦国迷茫困惑，可以说是仁吗？"阳货见孔子沉思不语，便自答说："不可以。"阳货继续说："自己喜欢从政却又屡次错失时机，可以说是智吗？"自答说：

"不可以。"阳货继续说："时光很快地流逝了，年岁不等待我们啊。"孔子说："好吧，我将出来做官。"

【解读】阳货是鲁国当权者季氏的家臣，季氏实际掌握鲁国政权，而阳货作为家臣却把持季氏家族实权，直接影响着鲁国政治。不遵古训，违反礼制，孔子对此十分反感。阳货掌权，自我膨胀，就想让孔子这位当世大学问家撑门面，然而孔子并未在其任上做官。孔子和阳货的交往，十分鲜明地表现出孔子做事的原则和灵活性：迫于权势和压力，面对花言巧语，孔子也妥协，也说违心的话。但孔子处理得很妥善和高明，既坚持做人的原则，又不失礼节，还保全自己，为我们处理复杂棘手的事情做出了示范。

17.2

子曰："性相近也，习相远也。"

The Master said, "By nature, men are nearly alike; by practice, they get to be wide apart."

【译文】孔子说："人的本性是相近的，因后天的习染不同而有了差别。"

【解读】宋代邢昺《论语注疏》曰："此章言君子当慎其所习也。性，谓人所禀受，以生而静者也，未为外物所感，则人皆相似，是近也。既为外物所感，则习以性成。若习于善则为君子，若习于恶则为小人，是相远也，故君子慎所习。"这是说，人要注意后天的习染，注重品德修养，使自己成为君子。

17.3

子曰："唯上知与下愚不移。"

The Master said, "There are only the wise of the highest class, and the stupid of the lowest class, who cannot be changed."

【译文】孔子说："只有高智商的聪明、低智商的愚笨，这种情况不可改变。"

【解读】有人主张与上章所言"人性"以及后人所说的"性善""性恶"联系，其实不必。人性是可以改变的，通过后天的习染，善者有可能变恶，恶者也有可能变好。但是，人的聪明与愚钝是很难改变的，聪明者总归是聪明，愚钝者总归是愚钝。有人说，对愚钝者进行智力开发，他们会变得聪明，但通过智力开发能变聪明的，不是真正的"愚"。

有人从勤能补拙的角度谈笨拙的人可以通过
勤奋来改变或成功，这是另一回事。比方说
别人一看就明白或一学就会了，而自己看多
次才明白或学多遍才学会，虽然都能达到明
白、学会的目的，但还是存在智和愚的差别。

17.4

子之武城[1]，闻弦歌之声。夫子莞尔而笑，曰："割鸡焉用牛刀？"子游对曰："昔者，偃也闻诸夫子曰：'君子学道则爱人，小人学道则易使也。'"子曰："二三子！偃之言是也。前言戏之耳。"

The Master, having come to Wu-ch'ang, heard there the sound of stringed instruments and singing. Well pleased and smiling, he said, "Why use an ox knife to kill a fowl?" Tsze-yu replied, "Formerly, Master, I heard you say, 'When the man of high station is well instructed, he loves men; when the man of low station is well instructed, he is easily ruled.' " The Master said, "My disciples, Yen's words are right. What I said was only in sport."

【注释】［1］武城：鲁国邑名，在费县西南。

【译文】孔子到了学生子游任邑宰的武城，听到弦乐歌唱之声。孔子微微一笑，说："杀鸡何必用宰牛刀？"子游回答说："以前，我听老师您说过：'为官者学了礼乐之道就会爱人，老百姓学了礼乐之道就容易使唤。'"孔子说："学生们！言偃的话是对的，我刚才的话不过是开玩笑罢了。"

【解读】孔子作为老师，亲自视察弟子主政之地，不也是很让人心情愉悦的吗？所以，听到"弦歌之声"，孔子"莞尔一笑"，说出"杀鸡焉用牛刀"的著名戏言。礼乐之教，是孔子教给弟子从政的重要思想。武城是一个小地方，子游很忠实地在践行孔子礼乐教化的思想，是非常难得的，因此受到孔子的称赞。从政者爱护百姓，老百姓用心维护各项规范，上下一心，其乐融融。

子游

吴泽浩 绘

17.5

公山弗扰以费畔 [1]，召，子欲往。子路不说，曰："末之也已，何必公山氏之之也？"子曰："夫召我者，而岂徒哉！如有用我者，吾其为东周乎 [2]？"

Kung-shan Fu-zao, when he was holding Pi, and in an attitude of rebellion, invited the Master to visit him, who was rather inclined to go. Tsze-lu was displeased, and said, "Indeed, you cannot go! Why must you think of going to see Kung-shan?" The Master said, "Can it be without some reason that he has invited ME? If any one employ me, may I not make an eastern Chau?"

【注释】［1］公山弗扰：即公山不狃，季氏的家臣。畔：通"叛"。［2］其：岂，难道。东周：指幽王东迁之后、国势已衰的周朝。

孔子立志恢复西周文王、武王、周公之道，不以东周为奋斗目标，故有此言。

【译文】公山弗扰在费邑反叛季氏，召孔子，孔子想去。子路不高兴，说："没有可去的地方就算了，何必到公山氏那里呢？"孔子说："那个召我去的人，难道是白白地叫我去吗？如果有人任用我，我难道仅仅是为了这个衰落的东周吗？"

【解读】公山弗扰和阳货都是季氏的家臣，都想叛乱，自立门户。但他们很清楚，"名不正则言不顺"，想拉拢孔子这位当世有威望的人支撑门面，掩盖各自的卑劣行径。而孔子此时也十分迫切地想把自己的政治理想付诸实践，所以打算前去。但最终没能成行，或许是由于子路的提醒和反对。

17.6

子张问仁于孔子。孔子曰："能行五者
于天下，为仁矣。""请问之。"曰："恭，宽，信，
敏，惠。恭则不侮，宽则得众，信则人任焉，
敏则有功，惠则足以使人。"

Tsze-chang asked Confucius about perfect
virtue. Confucius said, "To be able to practise five
things everywhere under heaven constitutes perfect
virtue." He begged to ask what they were, and
was told, "Gravity, generosity of soul, sincerity,
earnestness, and kindness. If you are grave, you will
not be treated with disrespect. If you are generous,
you will win all. If you are sincere, people will repose
trust in you. If you are earnest, you will accomplish
much. If you are kind, this will enable you to employ
the services of others."

【译文】子张问孔子怎么做才是仁。孔子说："能在天下实行五个方面，就可以说是仁了。"子张说："请问是哪五个方面？"孔子说："恭敬、宽厚、诚信、勤敏、恩惠。恭敬就不会受到侮辱，宽厚就会得到民众的拥护，诚信就会得到别人的任用，勤敏就会有成就，施恩惠就能够使唤得动别人。"

【解读】仁是孔子理论体系的思想核心，是儒家最高的道德规范。如何做到仁是弟子们一直困惑的地方，所以他的弟子们在不同的场合都询问，而孔子总是根据不同学生的特点给出不同的答案。本章孔子总结出"行仁五要"：恭敬、宽厚、诚信、勤敏、恩惠。这并不仅仅是个人道德修养的五大要点，更是在天下实施仁政的五大要点。即使放到现在，仍是做人做事的重要准则，对于我们仍有非常深远的启示。

17.7

佛肸 [1] 召，子欲往。子路曰："昔者，由也闻诸夫子曰：'亲于其身为不善者，君子不入也。'佛肸以中牟 [2] 畔，子之往也，如之何？"子曰："然，有是言也。不曰坚乎磨而不磷 [3]，不曰白乎涅而不缁 [4]。吾岂匏瓜 [5] 也哉？焉能系而不食？"

Pi Hsi inviting him to visit him, the Master was inclined to go. Tsze-lu said, "Master, formerly I have heard you say, 'When a man in his own person is guilty of doing evil, a superior man will not associate with him.' Pi Hsi is in rebellion, holding possession of Chung-mau; if you go to him, what shall be said?" The Master said, "Yes, I did use these words. But is it not said, that, if a thing be really hard, it may be ground without being made thin? Is it not said, that, if a thing be really white, it may be steeped in a dark fluid without being made black? Am I a bitter gourd! How can I be hung up out of the way of being eaten?"

【注释】[1]佛肸（bì xī）：晋国大夫范氏的家臣，中牟邑宰。[2]中牟：晋邑，在今河北邢台、邯郸之间。[3]磷：薄。[4]涅：染皂。缁：黑色。[5]匏（páo）瓜：葫芦。

【译文】佛肸背叛晋国，召孔子前往，孔子想去。子路说："过去，我听先生您说过这样的话：'亲身做坏事的人那里，君子是不去的。'佛肸在中牟叛乱，您却要去，那又如何解释？"孔子说："是的，有过这样的话。但是，不是说坚硬的东西磨不薄吗？不是说洁白的东西染不黑吗？我难道是匏瓜吗？怎能悬挂在那里而不被食用呢？"

【解读】本章孔子欲应"佛肸召"与前面第 17.5

节欲应"公山弗扰召",所反映的心境是一样的：迫切需要被人任用，施展抱负。孙钦善指出，孔子欲应叛乱者佛肸之召，是急于用世，以便实现自己的政治抱负：借家臣的叛乱，反对大夫专权，抑私门以张公室，恢复"礼乐征伐自诸侯出"，进而达到"礼乐征伐自天子出"，并不是想跟叛乱者同流合污。孔子恐怕别人误解自己与叛臣同流合污，还特意标明自己具有"磨而不磷、涅而不缁"的"坚""白"素质。最后发出的"吾岂匏瓜也哉？焉能系而不食"的感叹，既是对久久不被任用的不满情绪地发泄，又表达了渴求被任用的急切心情。

17.8

子曰："由也！女闻六言六蔽矣乎？"
对曰："未也。""居[1]！吾语女。好仁不
好学，其蔽也愚；好知不好学，其蔽也荡；
好信不好学，其蔽也贼[2]；好直不好学，其
蔽也绞[3]；好勇不好学，其蔽也乱；好刚不
好学，其蔽也狂。"

The Master said, "Yu, have you heard the
six words to which are attached six becloudings?"
Yu replied, "I have not." "Sit down, and I will tell
them to you. There is the love of being benevolent
without the love of learning; the beclouding here
leads to a foolish simplicity. There is the love
of knowing without the love of learning; the
beclouding here leads to dissipation of mind. There
is the love of being sincere without the love of
learning; the beclouding here leads to an injurious

disregard of consequences. There is the love of straightforwardness without the love of learning; the beclouding here leads to rudeness. There is the love of boldness without the love of learning; the beclouding here leads to insubordination. There is the love of firmness without the love of learning; the beclouding here leads to extravagant conduct."

【注释】［1］居：坐。［2］贼：害。［3］绞：此指说话尖刻。

【译文】孔子说："仲由，你听说过人们从六个方面所谈的六种弊病吗？"仲由回答说："没有。"孔子说："坐下！我告诉你。喜好仁德却不喜好学习，它的弊病是愚昧易欺；喜好智慧却不喜好学习，它的弊病是放荡无守；喜好信实却不喜好学习，它的弊病是容易被人坑害；喜好直率却不喜好学习，它的弊病是尖刻伤人；喜好勇敢却不喜好学习，它的弊病是闯祸作乱；喜好刚强却不喜好学习，它的弊病是狂妄自大。"

【解读】"好仁不好学，其蔽也愚"，"好仁"是美德，若不好学习，不知如何行仁，则弊在愚拙憨直，愚昧而不明事理。行仁践仁应讲究对象、方法，适度。若不学习，缺乏行仁践仁方面的知识和分辨能力，一味行仁，往往会好心做蠢事，诸如辨认不清行仁对象——以仁心救蛇狼；不考虑方式方法的——如投井救人；不把握行仁适度的——如召忽为其主公子纠自杀，这样的好仁者，皆为不好学不辨事理的愚儒。

"好知不好学，其蔽也荡"，智慧、聪明，也是美德，但是，若不学习，只顾逞聪明，其聪明才智有可能用到不正当的地方，往往会导致恣纵放荡。

"好信不好学，其蔽也贼"，讲诚信也是美德，但是，凡事只顾讲诚信，往往会带来害己害人之弊。讲诚信与行仁一样，也须讲究对象、方式方法的灵活性。所谓讲究对象，就是看对谁，或在什么事情上讲信；所谓适度，就是不要过分，不少人因守小信而搭上性命，值得吗？倘若因守信而到了害己害人的程度，便是孔子所不愿看到的"其蔽也贼"的后果。

"好直不好学，其蔽也绞"，绞，本指两股以上的条状物拧绞在一起，引申为缠绕、绞杀、急切、绞切。直率，是好品质，但过于直率，不讲究方式方法，其弊端在于绞切较真，尖刻伤人。因此，耿直、直率者也需要学习，修养德性，温良恭俭，以礼约己，宽厚待人，完善处世之道，避免绞直之弊。

17.9

子曰："小子何莫学夫《诗》? 《诗》,可以兴[1], 可以观, 可以群[2], 可以怨。迩[3]之事父, 远之事君, 多识于鸟兽草木之名。"

The Master said, "My children, why do you not study the *Book of Poetry*? The *Odes* serve to stimulate the mind. They may be used for purposes of self-contemplation. They teach the art of sociability. They show how to regulate feelings of resentment. From them you learn the more immediate duty of serving one's father, and the remoter one of serving one's prince. From them we become largely acquainted with the names of birds, beasts, and plants."

【注释】 [1] 兴: 激发感情。 [2] 群: 合群。 [3] 迩: 近。

【译文】孔子说："弟子们为什么不学《诗》？
《诗》可以激发人的感情，可以观察社会人
情，可以促进人际交往和团结，可以怨刺天
下不平的事情。近说可以明白如何侍奉父母，
远说可以明白如何侍奉君主，还可以多知道
一些鸟兽草木的名字。"

【解读】孔子非常重视诗教，认为诗能修养道德、
陶冶情操，曾说："温柔敦厚，《诗》教也。"
《诗经》中有的篇章广泛运用比兴手法，从
一事物联想到另一事物，很多都是有感而发，
反映当时的风俗人情；有的号召很有鼓动力，
让人们凝聚一心，奋发向上；还有的发泄不满，
宣泄情绪。通过读诗，甚至能学会如何"事父"
和"事君"，这样的诗歌为什么不好好读呢？

17.10

子谓伯鱼曰："女为《周南》《召南》矣乎[1]？人而不为《周南》《召南》，其犹正墙面而立也与？"

The Master said to Po-yu, "Do you give yourself to the Chau-nan and the Shao-nan. The man who has not studied the Chau-nan and the Shao-nan, is like one who stands with his face right against a wall. Is he not so?"

【注释】［1］《周南》《召南》：《诗经·国风》中的两部分。儒家认为《周南》《召南》25篇反映了文王、周公王业风化之基本，是《国风》中最纯正的部分，如《毛诗大序》所说："《周南》《召南》，正始之道，王化之基。"

【译文】孔子对儿子伯鱼说："你学习《周南》

《召南》了吗？人如果不学《周南》《召南》，那就像正对着墙壁站立一样吧？"

【解读】本章继续强调诗教的重要性。周南、召南本都是地名，写的都是当地的民歌，而且是反映文王、周公时代政治的最纯正发声。孔子教导儿子及弟子们学习这两部分，是为了实现政治抱负，不学习，就是面墙而立，即使是再近的东西也看不见，再好的东西也感觉不到，更难以进步。

17.11

子曰："礼云礼云，玉帛云乎哉？乐云乐云，钟鼓云乎哉？"

The Master said, "It is according to the rules of Propriety, they say. — It is according to the rules of Propriety, they say. Are gems and silk all that is meant by propriety? It is music, they say. — It is music, they say. Are bells and drums all that is meant by music?"

【译文】孔子说："总是说礼呀礼呀，难道仅仅是指玉帛之类的礼物吗？总是说乐呀乐呀，难道仅仅是指钟鼓之类的乐器吗？"

【解读】孔子是礼乐专家，倡导运用礼乐教化百姓、治理国家。面对当时仅仅注重礼乐表面现象的奢侈之风，孔子感慨良多，不由得脱口而出，有此感叹。"礼之用，和为贵。"礼是人们的行为规范，但是，仅仅表面上遵守了不行，关键是内心有真实情感，发自内心的尊敬才能感动人。乐不是凭空产生的，不是仅仅靠几种乐器就能实现的，而要靠内在的心理品质、自我与世界的和谐。所以，凡事不能只追求表面的东西，不能热衷于形式主义，而应重视内在的价值，这是孔子教给我们的大智慧。

17.12

子曰："色厉而内荏^[1]，譬诸小人，其犹穿窬^[2]之盗也与？"

The Master said, "He who puts on an appearance of stern firmness, while inwardly he is weak, is like one of the small, mean people; yea, is he not like the thief who breaks through, or climbs over, a wall?"

【注释】［1］荏（rěn）：软弱。［2］窬（yú）：门旁小洞。

【译文】孔子说："外貌严厉，内心怯懦，若用小人做比喻，大概就像穿过墙洞行窃的小偷吧？"

【解读】孔子描绘色厉内荏的小人，十分形象，他们外表看似庄正严厉，其实内心虚伪怯懦，就像那穿墙爬洞的小偷。邢昺《论语注疏》曰："此章疾时人体与情反也。言外自矜厉，而内柔佞，为人如此，譬之犹小人，外虽持正，内常有穿壁窬墙窃盗之心也与。"朱熹《论语集注》曰："言其无实盗名，而常畏人知也。"

17.13

子曰："乡原 [1]，德之贼也。"

The Master said, "Your good, careful people of the villages are the thieves of virtue."

【注释】［1］乡原（yuàn）：乡里貌似谨厚而实与流俗合污的伪善者。有人理解为阿谀媚世、处事圆滑谁也不得罪的老好人。原："愿"的古字，谨慎老实。

【译文】孔子说："乡里貌似谨厚而实与流俗合污的伪善者，是道德的祸害。"

【解读】孔子讨厌乡愿式的老好人。这种人往往得到很多人的称赞，博取了美名。他们没道德，没节操，没原则，圆滑世故，左右逢源，看人行事，随意而"变"。这种人看似忠厚，其实混淆是非，不分善恶，悄悄地与恶俗同流合污，实质上与道德背道而驰。这就启示我们不能做老好人，要坚持原则，敢于表达自己的意见，勇于与恶俗做斗争，做真诚正直、是非分明的人。

17.14

子曰："道听而涂说，德之弃也。"

The Master said, "To tell, as we go along, what we have heard on the way, is to cast away our virtue."

【译文】孔子说："在道路上听到传言而又到处传播的做法，是道德所唾的。"

【解读】在道路上听到的话和事，必须要用心考察，分辨真假是非。听风就是雨的人，往往推波助澜，起到很坏的作用。现在是信息时代、自媒体时代，各种网络反转之事屡屡发生，所以，对各种信息，我们一定要认真辨明，细心探求，有价值、有正能量的才去传播，坚决不造谣、不传谣，所谓"流言止于智者"。

17.15

子曰："鄙夫可与事君也与哉？其未得之也，患得之[1]。既得之，患失之。苟患失之，无所不至矣。"

The Master said, "There are those mean creatures! How impossible it is along with them to serve one's prince! While they have not got their aims, their anxiety is how to get them. When they have got them, their anxiety is lest they should lose them. When they are anxious lest such things should be lost, there is nothing to which they will not proceed."

【注释】［1］患得之：当作"患不得之"。

【译文】孔子说："可以跟鄙陋浅薄之人一起侍奉君主吗？这种人对于名利地位，没有得到时，总是担心不能得到；得到以后，又总是忧虑失去。如果总是担心失去，那就没有什么事情不去做了。"

【解读】得失之心，不可太重。孔子看得很准，有的人在朝为官，却鄙陋寡闻，只是为了保全官位和名利。没得到时，不择手段，总是担心得不到；用卑劣手段得到了，又总是担心失去，为了保住自己的职位和名利，就会无所不用其极。这种人是极端自私的，心里没有敬，也没有畏，更不用说为他人着想，为国为民服务了。无论在哪一个职位，既得之，则安之，打牢基础，做出业绩。不可这山望着那山高，患得患失，无所适从而最终一事无成，枉费一生。

17.16

子曰："古者民有三疾，今也或是之亡也。古之狂也肆，今之狂也荡；古之矜也廉[1]，今之矜也忿戾[2]；古之愚也直，今之愚也诈而已矣。"

The Master said, "Anciently, men had three failings, which now perhaps are not to be found. The high-mindedness of antiquity showed itself in a disregard of small things; the high-mindedness of the present day shows itself in wild license. The stern dignity of antiquity showed itself in grave reserve; the stern dignity of the present day shows itself in quarrelsome perverseness. The stupidity of antiquity showed itself in straightforwardness; the stupidity of the present day shows itself in sheer deceit."

【注释】[1]廉：棱角。[2]忿戾（lì）：火气大，蛮横不讲礼。

【译文】孔子说："古时候的人们有三种毛病，今人或许连这样的毛病也没有了，而且更甚。古人的狂妄只不过放意肆志、不拘小节，今人的狂妄却是放荡无礼、恣意妄为；古人的矜持只不过是棱角锋利、不可触犯，今人的矜持却是动辄发怒、蛮横无理；古人的愚笨还能透露出直率，今人的愚笨却只是装出的欺诈假象而已。"

【解读】孔子以古比今，以为古人"今人"虽同样存有"狂""矜""愚"等毛病，但"今人"又过于古人。如朱熹所说："狂者，志愿太高。肆，谓不拘小节。荡则逾大闲矣。矜者，持守太严。廉，谓棱角玮厉。忿戾则至于争矣。愚者，暗昧不明。直，谓径行自遂。诈则挟私妄作矣。"孔子对"今人"放荡逾法、忿戾争斗、欺诈妄为等行为给予严肃批评。

17.17

子曰："巧言令色，鲜矣仁。"

The Master said, "Fine words and an insinuating appearance are seldom associated with virtue."

【译文】孔子说："花言巧语，面色伪善，这样的人很少有仁德。"

【解读】巧舌如簧、能说会道，讨别人欢心，孔子称之为"佞"；低眉顺首、可怜兮兮，拿媚态的肢体语言讨好他人，可称之为"谄"。这就是"巧言令色"，孔夫子不喜欢，我们也要警惕。这种人缺乏仁德，往往当面一套，背后一套，花言巧语，阳奉阴违，虚伪狡诈，两面三刀。所以，在选人用人时要注意防范，交友时也要注意远离这种人。

17.18

子曰："恶紫之夺朱也，恶郑声之乱雅^[1]乐也，恶利口之覆邦家者。"

The Master said, "I hate the manner in which purple takes away the luster of vermilion. I hate the way in which the songs of Chang confound the music of the Ya. I hate those who with their sharp mouths overthrow kingdoms and families."

【注释】［1］雅：正。

【译文】孔子说："憎恶紫色侵夺了红色的正色地位，憎恶郑国的靡靡之音破坏了用于郊庙朝会的传统正乐，憎恶巧嘴利舌颠覆国家的人。"

【解读】宋邢昺《论语注疏》曰："此章记孔

子恶邪夺正也。"朱，正色；紫，间色。间色不可侵夺正色的地位。郑声淫，应加以限制，否则会败坏雅乐，消磨人的意志。"利口之人，多言少实，苟能悦媚时君，倾覆国家也。"

17.19

子曰："予欲无言。"子贡曰："子如不言，则小子何述^[1]焉？"子曰："天何言哉？四时行焉，百物生焉，天何言哉？"

The Master said, "I would prefer not speaking." Tsze-kung said, "If you, Master, do not speak, what shall we, your disciples, have to record?" The Master said, "Does Heaven speak? The four seasons pursue their courses, and all things are continually being produced, but does Heaven say anything?"

【注释】[1] 述：遵循。

【译文】孔子说："我不想讲话了"。子贡说："先生您如果不说话，那么弟子们遵循什么呢？"孔子说："天说什么了？春夏秋冬四时照样运行，百物照样生长，天说什么了？"

【解读】孔子"欲无言"，大概是由于说了话当政者不听、无法实现政治抱负而发的感叹。至于以"天何言哉"等语回答子贡，是以"上天没有言说什么，春夏秋冬四时照样循序运行，天下百物照样循时生长"的道理，说明人与自然都会遵循规律而前进运行的。这种道理要靠自己领悟，不能事事让人教诲和引导。

17.20

孺悲欲见孔子，孔子辞以疾。将命者出户，取瑟而歌，使之闻之。

Zu Pei wished to see Confucius, but Confucius declined, on the ground of being sick, to see him. When the bearer of this message went out at the door, the Master took his lute and sang to it, in order that Pei might hear him.

【译文】鲁国人孺悲想见孔子，孔子以有病为由推辞不见。传命的人刚出门，孔子就取出瑟来弹奏歌唱，故意让孺悲听到。

【解读】孔子为何不想见孺悲？朱熹曰："孺悲，鲁人，尝学士丧礼于孔子。当是时必有得罪者。故辞以疾，而又使知其非疾，以警教之也。"

17.21

宰我问："三年之丧，期已久矣。君子
三年不为礼，礼必坏；三年不为乐，乐必崩。
旧谷既没，新谷既升，钻燧改火[1]，期[2]
可已矣。"子曰："食夫稻，衣夫锦，于女
安乎？"曰："安。""女安，则为之。夫
君子之居丧，食旨[3]不甘，闻乐不乐，居处
不安，故不为也。今女安，则为之！"宰我
出。子曰："予之不仁也！子生三年，然后
免于父母之怀。夫三年之丧，天下之通丧也，
予也有三年之爱于其父母乎！"

Tsai Wo asked about the three years' mourning
for parents, saying that one year was long enough. "If
the superior man," said he, "abstains for three years
from the observances of propriety, those observances
will be quite lost. If for three years he abstains from
music, music will be ruined. Within a year the old

grain is exhausted, and the new grain has sprung up, and, in procuring fire by friction, we go through all the changes of wood for that purpose. After a complete year, the mourning may stop." The Master said, "If you were, after a year, to eat good rice, and wear embroidered clothes, would you feel at ease?" "I should, "replied Wo. The Master said, "If you can feel at ease, do it. But a superior man, during the whole period of mourning, does not enjoy pleasant food which he may eat, nor derive pleasure from music which he may hear. He also does not feel at ease, if he is comfortably lodged. Therefore he does not do what you propose. But now you feel at ease and may do it." Tsai Wo then went out, and the Master said, "This shows Yu's want of virtue. It is not till a child is three years old that it is allowed to leave the arms of its parents. And the three years' mourning is universally observed throughout the empire. Did Yu enjoy the three years' love of his parents?"

【注释】［1］钻燧（suì）：取火用具，有金燧，即火镜；有木燧，钻木取火。改火：钻木取火，因季节不同而改用不同的木材。［2］期（jī）：同"暮"，一年。［3］旨：美味。

【译文】宰我问："为父母守丧三年，时间太长了。君子三年不习礼，礼一定会败坏；三年不演奏乐，乐一定会败坏。陈谷已经吃完，新谷又已登场，钻火用的燧木也被改用了一个轮回，满一年也就可以了。"孔子说："守丧期间，吃着大米饭，穿着锦缎衣，你心里安不安？"宰我说："安。"孔子说："你安，那你就那样做。君子居丧期间，吃美味不觉得甘美，听音乐不觉得快乐，日常生活心不安，所以不那样做。如今你既然觉得心安，就那样做吧！"宰我退出。孔子说："宰予不仁啊！小孩生下来三年后，才脱离父母的怀抱。三年的丧期，是天下通行的丧礼，宰予不也在他父母那里享有三年的怀抱之爱吗？"

【解读】本章孔子论述为父母守丧三年的道理，教导人们从思想上感恩父母，重视孝道。"三年之丧，天下之通丧"，应该遵行，不可随意改变，这是对丧礼制度的维护。宰我提出三年之丧太久，似有一定道理，但孔子出于维护礼制的目的，是不能让步的。

17.22

子曰："饱食终日，无所用心，难矣哉！不有博弈者乎？为之，犹贤 [1] 乎已。"

The Master said, "Hard is it to deal with him, who will stuff himself with food the whole day, without applying his mind to anything good! Are there not gamesters and chess players? To be one of these would still be better than doing nothing at all."

【注释】［1］贤：胜于，强于。

【译文】孔子说："整天吃得饱饱的，对什么事都不上心，这种人真让人犯难啊！不是有掷骰子下棋的游戏吗？学点那个，也比闲待着强些。"

【解读】本章是孔子对当时富家子弟表现的感

慨，他批评了那些只知吃吃喝喝而不求上进的人。对此，孟子也曾在《滕文公上》中，言辞犀利地指出，人立身于世，应自求于道，如果仅仅追求饱食暖衣，有大房子住，而没有接受很好的教育，体现好的教养，那就和禽兽没有什么两样了。先贤告诉我们要积极进取，勤奋学习，不能有消极无聊的生活态度。

17.23

子路曰："君子尚勇乎？"子曰："君子义以为上。君子有勇而无义为乱，小人有勇而无义为盗。"

Tsze-lu said, "Does the superior man esteem valour?" The Master said, "The superior man holds righteousness to be of highest importance. A man in a superior situation, having valour without righteousness, will be guilty of insubordination; one of the lower people having valour without righteousness, will commit robbery."

【译文】子路说："君子崇尚勇敢吗？"孔子说："君子以义为上。君子有勇无义就会犯上作乱，小人有勇无义就会成为盗贼。"

【解读】子路崇尚勇敢，但有时缺少必要的仁义，因此孔子对他加以劝导。孔子所处的时代礼崩乐坏，社会动荡，如果勇没有道义的约束，就会成为乱的根源。因此，孔子对于勇，更多的是担心，而不是崇尚。孔子把"仁义""礼"排在前面，强调判断君子之勇的标准在于是否符合道义。勇只有在道义的约束之下，才能发挥它应有的作用。只要符合道义，尽管面对重重险阻，也要挺身而出，不屈不挠；不符合道义，即使有人挑衅激将，也不能逞匹夫之勇，以免酿成大错。

17.24

子贡曰："君子亦有恶^[1] 乎？" 子曰："有恶：恶称人之恶者，恶居下流而讪^[2] 上者，恶勇而无礼者，恶果敢而窒^[3] 者。"曰："赐也亦有恶乎？" "恶徼^[4] 以为知者，恶不孙以为勇者，恶讦^[5] 以为直者。"

Tsze-kung said, "Has the superior man his hatreds also?" The Master said, "He has his hatreds. He hates those who proclaim the evil of others. He hates the man who, being in a low station, slanders his superiors. He hates those who have valour merely, and are unobservant of propriety. He hates those who are forward and determined, and, at the same time, of contracted understanding." The Master then inquired, "Ts'ze, have you also your hatreds?" Tsze-kung replied, "I hate those who pry out matters, and ascribe the knowledge to their wisdom.

I hate those who are only not modest, and think that they are valourous. I hate those who make known secrets, and think that they are straightforward."

【注释】[1]恶(wù)：憎恶。[2]讪(shàn)：毁谤。[3]窒(zhì)：窒碍不通，执拗不合情理。[4]徼(jiǎo)：抄袭。[5]讦(jié)：揭发别人的隐私。

【译文】子贡说："君子也有憎恶吗？"孔子说："有憎恶：憎恶宣扬别人坏处的人，憎恶身居下位却毁谤上司的人，憎恶勇敢却没有礼义的人，憎恶果敢却执拗不通情理的人。"孔子又说："端木赐你也有憎恶吗？"子贡回答说："憎恶把抄袭别人当作聪明的人，憎恶把高傲不逊当作勇敢的人，憎恶把揭发别人隐私当作直率的人。"

【解读】这一章记述了孔子、子贡所憎恶的几

种人和不良行为。孔子、子贡师徒二人所提
出的七种人及其行为，对我们的修身具有借
鉴意义。

17.25

子曰："唯女子与小人为难养也[1]，近之则不孙[2]，远之则怨。"

The Master said, "Of all people, girls and servants are the most difficult to behave to. If you are familiar with them, they lose their humility. If you maintain a reserve towards them, they are discontented."

【注释】[1]女子：此女子与小人并言，当指缺乏修养、德行差的女人。养：侍奉，对待。[2]孙（xùn）：通"逊"，恭顺，谦逊。

【译文】孔子说："只有缺乏修养的女人和小人难侍奉，亲近了，她（他）就放肆无礼；疏远了，她（他）就埋怨不止。"

【解读】由于这句话，孔子落了个"轻视妇女"的罪名。很多人千方百计、绞尽脑汁为孔子开脱：或从孔子的思想主张方面，或从断句方面，或从文字训诂方面，但都显得苍白无力。首先要澄清的是，孔子这里所说的女子，不是泛指，是特指一部分女人。任何人，无论狂到何种地步，也不敢拿占天下半数的女子来贬毁，以致落下千万年骂名，何况是一贯主张"泛爱众而亲仁"的圣贤孔子！清楚了这一点，天下绝大多数的好女子才可释然。

孔子所说的"一部分女人"，是指那些缺乏修养，不通情达理的一类。这类女人不好对待：亲近她吧，她则不恭逊；疏远她吧，她则怨恨。总之，无论你怎样做，她都会整天闹得你不得安宁。孔子把这种缺乏修养的女子与品格低下的小人放在一起评论，慨叹其不好对待，是合乎情理的。孔子谨严，他所说的话，虽不能说全对，但并非随意而发，多是有所指的。

17.26

子曰："年四十而见恶焉，其终也已。"

The Master said, "When a man at forty is the object of dislike, he will always continue what he is."

【译文】孔子说："年岁到了四十还被人厌恶，他这一辈子也就算完了。"

【解读】孔子所言意在让大家明白，人应该重视修德，不能终老一生不讨人喜欢。人到中年是人格定型的时候，如果此时还在品行修养方面被人诟病、为人厌恶，那这个人一生就完了。

微子第十八

18.1

微子去之，箕子为之奴，比干谏而死。孔子曰："殷有三仁焉。"

The Viscount of Wei withdrew from the court. The Viscount of Chi became a slave to Chau. Pi-kan remonstrated with him and died. Confucius said, "The Yin dynasty possessed these three men of virtue."

【译文】商纣王昏庸残暴，哥哥微子启离开了他，叔父箕子装疯做了奴隶，叔父比干因强谏被剖心而死。孔子说："殷商有三个仁人。"

【解读】微子启作为纣王的同母哥哥，见纣王荒淫无道，劝谏不听，于是离开了纣王；作为叔父的箕子由于直言相劝，被降为奴隶，装疯卖傻躲过一劫；叔父比干多次劝谏激怒了纣王，结果被纣王剖心。他们三人的做法虽然不同，孔子认为都符合仁的标准，可见仁的标准是多元的，很多道路都通向"成仁"。

18.2

柳下惠为士师[1]，三黜[2]。人曰："子未可以去乎？"曰："直道而事人，焉往而不三黜？枉道而事人，何必去父母之邦？"

Hui of Liu-hsia being chief criminal judge, was thrice dismissed from his office. Some one said to him, "Is it not yet time for you, sir, to leave this?" He replied, "Serving men in an upright way, where shall I go to, and not experience such a thrice-repeated dismissal? If I choose to serve men in a crooked way, what necessity is there for me to leave the country of my parents?"

【注释】［1］士师：掌管刑狱的小官。［2］黜（chù）：降职或罢免。

【译文】柳下惠做典狱官，三次被罢免。有人对他说："您不可以离开鲁国吗？"柳下惠说：
"若用正直之道侍奉人，去哪里能不再三被
罢免？若用邪曲之道侍奉人，那又何必离开
父母之国？"

【解读】柳下惠被孟子称为"圣之和者也"，
淡泊名利，思想境界高，为人正直，即"直
道而事人"。历史上这样的人物不少，比如
唐代的刘禹锡一生傲骨，明朝的海瑞刚直不
阿。史书记载有东汉的董宣不畏强权，顶住
压力惩治罪犯的故事。湖阳公主的仆人杀人
后藏匿起来拒不投案，一直逍遥法外。董宣
多次要人，湖阳公主却包庇家奴，拒不交出
罪犯。董宣就利用湖阳公主带着那个奴仆外
出的时机堵住公主的车，当面数落公主的过
失，呵斥恶奴下车，随后就地正法。湖阳公
主向皇帝刘秀告状，皇帝也很生气，让董宣
向公主叩头道歉。董宣不肯，左右侍从强行
按住他的头，董宣则两只手撑地，不肯低头。

柳下惠　杨晓刚 绘

刘秀无奈，称董宣为"强项令"，放了他。

像柳下惠、刘禹锡、海瑞和董宣那样，一个人无论何时何地何种情况下都能够坚守自己做人的底线，那就是真君子。从政者虽然官职有高低、权力有大小，都应追求正直的初心。

18.3

齐景公待孔子曰："若季氏，则吾不能，以季、孟之间待之。"曰："吾老矣，不能用也。"孔子行。

The duke Ching of Ch'i, with reference to the manner in which he should treat Confucius, said, "I cannot treat him as I would the chief of the Chi family. I will treat him in a manner between that accorded to the chief of the Chi, and that given to the chief of the Mang family." He also said, "I am old; I cannot use his doctrines." Confucius took his departure.

【译文】齐景公讲到如何对待孔子的时候说："像对待鲁国季孙氏那样任用他，我做不到。我可以用介于季孙氏和孟孙氏之间的待遇来任用他。"后来，景公又说："我老了，不能用他了。"听到这话,孔子就离开了。

【解读】这段话的背景是:鲁昭公讨伐季孙氏,结果失败,三桓共同攻伐鲁昭公,昭公于是逃到了齐国,孔子也到了齐国并受到了齐景公的接见。齐景公对于孔子的政论非常赞同,欲以尼溪之田封孔子,但是因为以大夫晏婴为首的一些大臣反对,齐景公改变了主意。后来又听到齐国大夫要杀害他,孔子便离开齐国,回到鲁国继续教书。

18.4

齐人归^[1]女乐，季桓子^[2]受之，三日不朝，孔子行。

The people of Ch'i sent to Lu a present of female musicians, which Chi Hwan received, and for three days no court was held. Confucius took his departure.

【注释】［1］归（kuì）：同"馈"，赠送。［2］季桓子：季康子之父，鲁定公时执政。

【译文】齐国送给鲁国许多漂亮的歌女舞女，季桓子接受了，三天不上朝理政，于是孔子离开了鲁国，开始周游列国。

【解读】孔子做中都宰不到一年时间，百姓安居乐业，路不拾遗，夜不闭户。孔子被提拔为鲁国的大司寇，他在齐鲁夹谷会盟中的非凡表现，引起了齐人的恐慌。齐人认为孔子"为政必霸"，于是设计破坏，送给鲁国一批能歌善舞的美女。鲁国君臣沉迷于荒淫享乐之中，不再过问政事，齐国的离间计有了成效。孔子对鲁国的政治彻底失望了，"道不同不相为谋"，于是离开了鲁国，开始了他周游列国长达十四年之久的生涯。孔子出走，鲁国从此失去了强盛的机遇。

齐人归女乐，季桓子受之，三日不朝，孔子行�。孔子用时别时，国国徘博画。日译文予番所恋。

道不同不相为谋　梁文博　绘

18.5

　　楚狂[1]接舆歌而过孔子，曰："凤兮凤兮，何德之衰？往者不可谏，来者犹可追[2]。已而，已而，今之从政者殆而！"孔子下，欲与之言，趋而辟之，不得与之言。

The madman of Ch'u, Chieh-yu, passed by Confucius, singing and saying, "O Fang! O Fang! How is your virtue degenerated! As to the past, reproof is useless; but the future may still be provided against. Give up your vain pursuit. Give up your vain pursuit. Peril awaits those who now engage in affairs of government." Confucius alighted and wished to converse with him, but Chieh-yu hastened away, so that he could not talk with him.

【注释】[1]楚狂：楚国隐士，佯装狂人。[2]追：追及，补救。

【译文】楚国狂人接舆唱着歌从孔子车旁走过，唱道："凤凰呀凤凰，为什么德行会这么衰败？以往的错事已不可劝谏改正，未来的事情还可以补救。罢了，罢了，今天的从政者岌岌可危啊！"孔子下车，想和他谈谈，接舆快步避开了，孔子没能和他谈话。

【解读】李白《庐山谣寄卢侍御虚舟》中的诗句"我本楚狂人，凤歌笑孔丘"便是化用了本章的典故。这段话里的名句是"往者不可谏，来者犹可追"，意思是过去的不能挽回弥补，未来的还是能赶得上的，要努力争取。很多人要么纠结于过去的失误和不足，要么沉迷于以往的荣誉和贡献，不愿意面对将来，这是错误的认识。历史潮流浩浩荡荡，每个人都要正视现实，着眼更长远的未来。

18.6

长沮、桀溺耦而耕[1]，孔子过之，使子路问津焉。长沮曰："夫执舆者为谁？"子路曰："为孔丘。"曰："是鲁孔丘与？"曰："是也。"曰："是知津矣。"问于桀溺。桀溺曰："子为谁？"曰："为仲由。"曰："是鲁孔丘之徒与？"对曰："然。"曰："滔滔者天下皆是也，而谁以易之？且而与其从辟人之士也，岂若从辟世之士哉！"耰[2]而不辍。子路行以告。夫子怃然，曰："鸟兽不可与同群，吾非斯人之徒[3]与而谁与？天下有道，丘不与易也。"

Ch'ang-tsu and Chieh-ni were at work in the field together, when Confucius passed by them, and sent Tsze-lu to inquire for the ford. Ch'ang-tsu said, "Who is he that holds the reins in the carriage there?" Tsze-lu told him, "It is K'ung Ch'iu." "Is it not K'ung Ch'iu of Lu?" asked he. "Yes" was the reply, to which the other rejoined, "He knows the ford." Tsze-lu then inquired of Chieh-ni, who said to him, "Who are you, sir?" He answered, "I am Chung Yu." "Are you not the disciple of K'ung Ch'iu of Lu?" asked the other. "I am," replied he, and then Chieh-ni said to him, "Disorder, like a swelling flood, spreads over the whole empire, and who is he that will change its state for you? Than follow one who merely withdraws from this one and that one, had you not better follow those who have withdrawn from the world altogether?" With this he fell to covering up the seed, and proceeded with his work, without stopping. Tsze-lu went and reported their remarks, when the Master observed with a sigh, "It is impossible to associate with birds and beasts, as if they were the same with us. If I associate not with these people, — with mankind, with whom shall I associate? If right principles prevailed through the empire, there would be no use for me to change its state."

【注释】［1］长沮（jǔ）、桀溺（nì）：两位隐士。
耦：同"偶"，双，并。［2］耰（yōu）：
一种农具，用来碎土平田，播种后，用它把
土覆盖种子，也泛指耕种。［3］徒：同类。

【译文】长沮、桀溺两人在一起耕种，孔子路
过，让子路问渡口在哪。长沮说："那个执
辔驾车的人是谁？"子路说："是孔丘。"
长沮说："是鲁国的孔丘吗？"子路说："是
的。"长沮说："他该是知道渡口的。"子
路又问桀溺。桀溺说："您是谁？"子路说：
"是仲由。"桀溺说："是鲁国孔丘的徒弟
吗？"回答说："是。"桀溺说："浊水滔
滔弥漫天下，到处都是一样混乱，您能跟谁
一起改变这现状呢？而且您与其跟从避开无
道之人的游士，不如跟从我们这些避开浊世
的隐士！"说罢，耕种不停。子路回来后，
把听到的这些话告诉孔子。孔子怅然若失，
说："人是不能与飞禽走兽相处的，我不跟

这天下人打交道还能跟谁呢？天下如果有道的话，我孔丘就不用跟世人一起做改革的事了。"

【解读】这段话体现了孔子为了救世而辛苦奔走却被人误解的失落，但孔子是达观的，他认为自己有责任这么做。他把隐居于山林者贬斥为"与鸟兽同群"，不屑与之为伍。生逢乱世，礼崩乐坏，苛政猛于虎，民不聊生，倘若人人都想着避世，那么谁来救世？国家兴亡，匹夫有责，要有责任感，要勇于改变浊浪滔滔的乱世。孔子的积极救世精神，在此章得到充分展现。周游列国十四年，吃尽苦楚，无怨无悔，是孔子对这种精神的执着践行。

论

语

18.7

子路从而后，遇丈人以杖荷蓧^[1]。子路问曰："子见夫子乎？"丈人曰："四体不勤，五谷不分，孰为夫子？"植其杖而芸^[2]。子路拱而立。止^[3]子路宿，杀鸡为黍而食之，见其二子焉。明日，子路行以告。子曰："隐者也。"使子路反见之。至，则行矣。子路曰："不仕无义。长幼之节，不可废也；君臣之义，如之何其废之？欲洁其身，而乱大伦。君子之仕也，行其义也。道之不行，已知之矣。"

Tsze-lu, following the Master, happened to fall behind, when he met an old man, carrying across his shoulder on a staff a basket for weeds. Tsze-lu said to him, "Have you seen my master, sir!" The old man replied, "Your four limbs are unaccustomed to toil; you cannot distinguish the five kinds of grain: — who is your master?" With this, he planted his staff in the ground, and proceeded to weed. Tsze-lu joined his hands across his breast, and stood before him. The old man kept Tsze-lu to pass the night in his house, killed a fowl, prepared millet, and feasted him. He also introduced to him his two sons. Next day, Tsze-lu went on his way, and reported his adventure. The Master said, "He is a recluse," and sent Tsze-lu back to see him again, but when he got to the place, the old man was gone. Tsze-lu then said to the family, "Not to take office is not righteous. If the relations between old and young may not be neglected, how is it that he sets aside the duties that should be observed between sovereign and minister? Wishing to maintain his personal purity, he allows that great relation to come to confusion. A superior man takes office, and performs the righteous duties belonging to it. As to the failure of right principles to make progress, he is aware of that."

【注释】［1］蓧（diào）：锄草用的农具。［2］
芸：同"耘"，锄草。［3］止：留。

【译文】 子路跟从孔子周游，有一次落在后面，
遇到一位老人用拐杖担着蓧。子路问道："您
见到我的老师了吗？"老人说："你这人四
体不勤劳，五谷不认识，谁知道哪个是你的
老师？"说罢，将拐杖往地上一插，就锄起
草来。子路拱着手恭敬地站立在那里。老人
留子路住宿，杀了鸡，做黄米饭给他吃，还
叫两个儿子与他相见。第二天，子路赶上了
孔子，把遇丈人之事告诉了他。孔子说："这
是一位隐士。"让子路再返回去找他。到了
那里，老人却已经出门了。子路说："不做
官是不合乎义的。长幼之间的礼节，不可废弃；
君臣之间的大义，又怎么能废弃呢？想避开
浊世清洁自身，却乱了君臣大伦。君子做官，
是为了推行道义。至于道德主张不易推行，
这是早已知道的。"

【解读】"四体不勤，五谷不分"，是老人对子路师徒的讥刺。与上章联系，老人与长沮、桀溺一样，对孔子师徒的做法是不理解不认同的。同样，孔子师徒对这些隐者也明确表示志道不同，且予以批驳，上章孔子回敬说"鸟兽不可与同群，吾非斯人之徒与而谁与？天下有道，丘不与易也"，本章子路反驳说"长幼之节，不可废也；君臣之义，如之何其废之？欲洁其身，而乱大伦。君子之仕也，行其义也"，说明孔子师徒积极治世的使命感。孔子的治世思想虽在当时未得到认同，但后世普遍选用其思想治国化民，直到今天还被广泛推广、大力弘扬。

18.8

逸民[1]：伯夷、叔齐、虞仲、夷逸、朱张、柳下惠、少连。子曰："不降其志，不辱其身，伯夷、叔齐与！"谓："柳下惠、少连，降志辱身矣，言中伦，行中虑，其斯而已矣"。谓："虞仲、夷逸，隐居放言，身中清，废中权。我则异于是，无可无不可。"

The men who have retired to privacy from the world have been Po-i, Shu-ch'i, Yu-chung, 1-yi, Chu-chang, Hui of Liu-hsia, and Shao-lien. The Master said, "Refusing to surrender their wills, or to submit to any taint in their persons; such, I think, were Po-i and Shu-ch'i." It may be said of Hui of Liu-hsia, and of Shao-lien, that they surrendered their wills, and submitted to taint in their persons, but their words corresponded with reason, and their actions were such as men are anxious to see.

This is all that is to be remarked in them. "It may be said of Yu-chung and 1-yi, that, while they hid themselves in their seclusion, they gave a license to their words; but, in their persons, they succeeded in preserving their purity, and, in their retirement, they acted according to the exigency of the times." "I am different from all these. I have no course for which I am predetermined, and no course against which I am predetermined."

【注释】 ［1］逸民：避世隐居之人。

【译文】 逸民有：伯夷、叔齐、虞仲、夷逸、朱张、柳下惠、少连。孔子说："不降低自己的志向，不辱没自己的身份，这样的人是伯夷、叔齐吧！"又说："柳下惠、少连，降低了志向，辱没了身份，但是言语合乎伦理，行为合乎思虑，也就是这样罢了。"又说："虞仲、夷逸，避世隐居，说话随便，能洁身自爱，放弃官职合乎权变。我则不同于这些人，无所谓可，也无所谓不可。"

【解读】对于"逸民"，注家解释不一：宋朝朱熹《论语集注》曰："逸，遗逸。民者，无位之称。"孙钦善《论语本解》曰："遗落于世而无官位的贤人。"从本章列举的七个人来看，既有隐逸山林不肯出仕做官者，也有遗落于世不被重用者。

孔子根据七人的不同操守，将其分为三类。从评论来看，孔子对他们是持肯定态度的。最后孔子所说"我则异于是，无可无不可"，李泽厚指出，孔子与这些高尚之士相比较，显示自己灵活性更大，不拘泥于一种形态。如前所说，灵活性（权）展现出个体的主动性、独特性，是主体性的核心内容，甚为重要。

18.9

大师挚[1] 适齐，亚饭干[2] 适楚，三饭缭适蔡，四饭缺适秦，鼓方叔入于河，播鼗[3] 武入于汉，少师阳、击磬襄入于海。

The grand music master, Chih, went to Ch'i. Kan, the master of the band at the second meal, went to Ch'u. Liao, the band master at the third meal, went to Ts'ai. Chueh, the band master at the fourth meal, went to Ch'in. Fang-shu, the drum master, withdrew to the north of the river. Wu, the master of the hand drum, withdrew to the Han. Yang, the assistant music master, and Hsiang, master of the musical stone, withdrew to an island in the sea.

【注释】[1]大师：即太师，乐师之长。太师名挚。[2]亚饭干：第二餐的奏乐人，名干。天子、诸侯每顿饭皆有人奏乐。[3]播鼗（táo）：

拔浪鼓。

【译文】鲁国的太师挚逃到了齐国，第二餐的
奏乐人干逃到了楚国，第三餐的奏乐人缭逃
到了蔡国，第四餐的奏乐人缺逃到了秦国，
击鼓的方叔逃到了黄河附近，摇小鼓的武逃
到了汉水附近，少师阳、击磬的襄逃到了海
滨附近。

【解读】古代天子、诸侯吃饭时都要奏乐，每餐
都有不同的乐师。天子一日四餐，鲁国用周
天子礼乐，故有二饭、三饭、四饭的说法。
据记载，天子、诸侯吃饭的时候奏乐，象征
着天下太平富饶。这一章记载的就是"鲁哀
公时，礼坏乐崩，乐人皆去"的现象。乐人
四散，意味着人才的流失，也意味着鲁国丧
失了传统礼乐。文化精神丧失，必然导致制
度崩溃。

18.10

周公 [1] 谓鲁公 [2] 曰："君子不施 [3] 其亲，不使大臣怨乎不以。故旧无大故，则不弃也。无求备于一人！"

The duke of Chau addressed his son, the duke of Lu, saying, "The virtuous prince does not neglect his relations. He does not cause the great ministers to repine at his not employing them. Without some great cause, he does not dismiss from their offices the members of old families. He does not seek in one man talents for every employment."

【注释】［1］周公：周公姬旦。［2］鲁公：周公儿子伯禽。［3］施（shǐ）：通"弛"，弃置，疏远，忘却。

【译文】周公对儿子伯禽说："君子不疏远自

己的亲族，不让大臣抱怨自己不被任用。故交旧友如果没有大过错，就不要抛弃。不要对一个人求全责备！"

【解读】本章是周公传授给儿子伯禽用人之道。良才如美玉，美玉有微瑕而不掩其光泽。求备于一人，可使天下无一人。不求备于一人，而人才不可胜用矣！这就要求领导者有一颗公正的心。对人才重大节，略小节，只要一个人的毛病不至于影响才能的发挥，照样可以用。但是"千里马常有，而伯乐不常有"（韩愈《马说》），这就要求领导能够慧眼识英才。领导的艺术就应该是量才而用，德才并用；然后是用人之长，容人之短；最好的领导是让人才有用武之地而无后顾之忧。

18.11

周有八士：伯达、伯适、仲突、仲忽、叔夜、叔夏、季随、季骒。

To Chau belonged the eight officers, Po-ta, Po-kwo, Chung-tu, Chung-hwu, Shu-ya, Shu-hsia, Chi-sui, and Chi-kwa.

【译文】周朝有八位名士：伯达、伯适、仲突、仲忽、叔夜、叔夏、季随、季骒。

【解读】从整个《微子篇》来看，首章"殷有三仁"，末章"周有八士"，首尾照应。殷有"三仁"而不能用，所以殷亡；周有"八士"，因此周兴。可见人才对事业发展起着决定性的作用。因此，要想成就一番事业就必须重用贤才。

子张第十九

19.1

子张曰："士见危致命，见得思义，祭思敬，丧思哀，其可已矣。"

Tsze-chang said, "The scholar, trained for public duty, seeing threatening danger, is prepared to sacrifice his life. When the opportunity of gain is presented to him, he thinks of righteousness. In sacrificing, his thoughts are reverential. In mourning, his thoughts are about the grief which he should feel. Such a man commands our approbation indeed."

【译文】子张说："士遇到危难肯献身，见到可获得的利益能想到义，祭祀的时候能想到虔敬，服丧的时候能想到哀伤，这就可以了。"

【解读】"士"指当时处于统治阶级底层的知

识分子，本章所述是士人为人处世需遵循的
基本原则。士要有视死如归的勇气，为了正
义，敢于在千钧一发之际挺身而出；要有奉
义轻利的自觉，在有利可得时，认真考虑它
是不是合乎道义；在祭祀、服丧等礼仪活动
中，情感的流露应该源自内心，而不是简单
地流于形式。本章虽针对士人而言，其实对
所有人都适用。一个人只要有担当、懂取舍、
知礼节，就可以称得上是顶天立地的人。

19.2

子张曰："执德不弘，信道不笃，焉能为有？焉能为亡？"

Tsze-chang said, "When a man holds fast to virtue, but without seeking to enlarge it, and believes right principles, but without firm sincerity, what account can be made of his existence or non-existence?"

【译文】子张说："执守道德而不发扬光大，信守道德不忠实坚定，这种人，怎能说他有道德？又怎能说他无道德？"

【解读】儒家认为，道德修养的目标应该是择善固执，止于至善。但有些人往往在这个过程中故步自封，或者不够坚定，本章就是对这类人的批判。修养道德的人，不仅要使自

207

己成为高尚的君子，还要通过自己的谨言慎行去影响他人，使人们皆能主动践行道义。此外，道德应该是深植于内心的信仰，一个人对待信仰要笃定忠诚、不离不弃，用它来指导自己的一言一行。今天的人们，也确实该好好反思一下：自己在追求理想的过程中有没有不思进取？是不是还在笃诚地坚守最初的那个目标？

19.3

子夏之门人问交于子张。子张曰："子夏云何？"对曰："子夏曰：'可者与之，其不可者拒之。'"子张曰："异乎吾所闻：君子尊贤而容众，嘉善而矜 [1] 不能。我之大贤与，于人何所不容？我之不贤与，人将拒我，如之何其拒人也？"

The disciples of Tsze-hsia asked Tsze-chang about the principles that should characterize mutual intercourse. Tsze-chang asked, "What does Tsze-hsia say on the subject?" They replied, "Tsze-hsia says: 'Associate with those who can advantage you. Put away from you those who cannot do so.'" Tsze-chang observed, "This is different from what I have learned. The superior man honours the talented and virtuous, and bears with all. He praises the good, and pities the incompetent. Am I possessed of great talents and virtue? — who is there among men whom I will not bear with? Am I devoid of talents and virtue? — men will put me away from them. What have we to do with the putting away of others?"

【注释】 ［1］矜（jīn）：怜悯，同情。

【译文】 子夏的弟子向子张请教交往之道。子张说："子夏是怎么说的？"其弟子回答道："子夏说：'可交的就交，不可交的就拒绝。'"子张说："这和我所听到的不同：君子尊重贤人，同时还能容纳普通民众；赞美品质好能力强的人，同时还能怜悯和帮助素质低能力差的人。我自己若是大贤之人，对什么人不能容纳呢？我自己若不是大贤之人，别人会拒绝我，我又怎么能拒绝别人呢？"

【解读】 本章谈子夏、子张交友观之不同。子夏的交友观是：可交者交之，不可交者拒之。很多人的交友观都是这样的，心里有一定的交友尺度，谨慎选择，如孔子所说的"友直、友谅、友多闻"，以及"友其士之仁者"。但是，不少人往往把握不好尺度，导致狭隘，常常会凭主观，凭个人好恶择友。子张主张大贤，胸怀博大，海纳百川，做到既尊贤，又容众；既赞美品质好、能力强的，又同情帮助素质低、能力差的。与上章子张主张的"执德弘大"联系起来看，子张的交友观也是宽宏大量的。

19.4

子夏曰：“虽小道，必有可观者焉，致远恐泥，是以君子不为也。”

Tsze-hsia said, "Even in inferior studies and employments there is something worth being looked at; but if it be attempted to carry them out to what is remote, there is a danger of their proving inapplicable. Therefore, the superior man does not practise them."

【译文】子夏说：“即使是小的学说、小的技艺，也一定有可取之处，但想靠它实现远大目标，恐怕要受到阻滞拘泥，因此君子不从事它。”

【解读】小道，是儒家对仁道礼教以外的学说、技艺的贬称，与大道相对。所谓大道，可以理解为大道理、大道德，即国家、民生、仁道、礼教方面的大事情。

19.5

子夏曰："日知其所亡，月无忘其所能，可谓好学也已矣。"

Tsze-hsia said, "He, who from day to day recognises what he has not yet, and from month to month does not forget what he has attained to, may be said indeed to love to learn."

【译文】子夏说："每天都能学到自己以往没有的知识，每月都不忘掉自己已学过的知识，这就可以说是好学的了。"

【解读】若想安身于世，人们就要掌握知识、技能、德行等本领，所以说人的一生就是不断学习的过程。那么怎样才能算是好学呢？本章提出了两条标准：其一是"知新"，一个人的生命是有终点的，但他需要掌握的知

识却是无限多的，若想学有所成，就得孜孜
不倦地探索、学习、领会新知识；其二是"温
故"，学习不是一劳永逸的过程，人们学习
过的知识必须经过反复地记忆和不断地巩固，
才能铭记于心。今天的我们面对社会日新月
异的变化，更应该明白学习不可能一蹴而就
的道理，想让自己与时俱进，就要有勤奋好
学的自觉。

卜商　吴泽浩　绘

19.6

子夏曰："博学而笃志，切问而近思，仁在其中矣。"

Tsze-hsia said, "There are learning extensively, and having a firm and sincere aim; inquiring with earnestness, and reflecting with self-application: — virtue is in such a course."

【译文】子夏说："广泛地学习，坚守自己的意志；针对当下存在的问题去问，切近当下存在的问题去思，这么做，仁也就在里面了。"

【解读】古代的君子，一生致力于寻求仁德，怎样才能做到呢？由本章所述可以看出，第一要义是学习，并且要广泛地学，认真地学，坚定地学，以此来端正品行，增长知识，开阔眼界。特别需要注意的是，学习的同时还要学会思考，学会提出问题，并且所思所问必须贴近当下和实际，不能天马行空、不着边际地去问去思，否则就只能是故弄玄虚、自欺欺人。做到这两点，便可以说是在践行仁德了。

张博 制

19.7

子夏曰："百工居肆以成其事，君子学以致其道。"

Tsze-hsia said, "Mechanics have their shops to dwell in, in order to accomplish their works. The superior man learns, in order to reach to the utmost of his principles."

【译文】子夏说："各种工匠在作坊中完成他们的工作，君子则通过学习来达到实践道的目的。"

【解读】本章化抽象为具体，将"君子致道"比作"百工成事"，二者有何共同点呢？举个例子，一个手工业者，需要经过认真地学习，精心地制作，反复地打磨等工艺流程，才能完成自己的作品。与此同理，君子若想实现自己追求的"大道"，也必须通过勤奋刻苦、踏踏实实地学习来完成。但总有一些人急功近利，一门心思找窍门、走捷径，甚至弄虚作假，往往一事无成。因此对每一个有志于实现理想的人来说，只有努力学习、心无旁骛，才能成其事、致其道。

19.8

子夏曰："小人之过也必文[1]。"

Tsze-hsia said, "The mean man is sure to gloss his faults."

【注释】［1］文：文饰，掩饰。

【译文】子夏说："小人对于过错一定加以掩饰。"

【解读】在一个人的成长过程中，总会有犯错误的时候，但不同的人对待错误的态度却不一样。君子胸襟豁达，善于反省自己，并且勇于改正，所以不会再犯同样的错误，甚至还会在此基础上提升自己的品行；小人心胸狭隘，不敢直面错误，也不愿让别人看到自己的错误，所以常常用拙劣的手段去掩饰，最终陷入了用一个错误去弥补另一个错误的恶性循环之中。归根结底，两者态度的不同，是由道德修养水平的高低决定的。今天的我们难免会有无心之失，这时就要像古代的君子一样敢于面对，主动改正，绝不能错上加错，自欺欺人。

19.9

子夏曰："君子有三变：望之俨然，即之也温，听其言也厉。"

Tsze-hsia said, "The superior man undergoes three changes. Looked at from a distance, he appears stern; when approached, he is mild; when he is heard to speak, his language is firm and decided."

【译文】子夏说："君子给人的感觉有三种：远距离看他，庄严可畏；接近他，温和可亲；听他说话，严厉不苟。"

【解读】如今，提到读书人的气质，人们常常引用"腹有诗书气自华"这句诗，那么在古人心中，君子又会给人留下怎样的印象呢？由本章可知，君子给人的第一印象，往往是仪容威严，举止庄重，颇有些神圣不可冒犯的样子。当与君子近距离交往之后，你才会发现君子温和儒雅、平易近人，甚至还会因他的存在而感到温暖。与君子进行言语交流的时候，你又会看到一个坚持原则、思维缜密、措辞严谨的智者。综上观之，君子给人的感觉好像是不断变化的，但万变不离其宗即君子对个人修养的严格要求。

19.10

子夏曰："君子信而后劳其民，未信则以为厉 [1] 己也。信而后谏，未信则以为谤己也。"

Tsze-hsia said, "The superior man, having obtained their confidence, may then impose labours on his people. If he have not gained their confidence, they will think that he is oppressing them. Having obtained the confidence of his prince, one may then remonstrate with him. If he have not gained his confidence, the prince will think that he is vilifying him."

【注释】［1］厉：虐待。

【译文】子夏说："君子先取得信任，然后才能使唤百姓；如果未取得信任，他们就会以为在虐待自己。先取得信任，然后才能劝谏；如果没有取得信任，人家就会以为是在诽谤他。"

【解读】儒家认为，君子为人处世，当以忠信为原则。本章提到的"君子"，是指为政者。对为政者而言，不管你面对的是国君还是百姓，首先要做到的就是取信于对方。如何让对方信任你？归根到底还是要落脚在对自身的严格要求上，自己做好了，才会让对方看到诚意，才能获得对方的信任。对待百姓，为政者要言出必行，勤政爱民；侍奉国君，为政者要忠君爱国，一心为公。信任是沟通的基础，为政者只有获得了对方的信任，才能做到对下政令畅通，对上不被猜忌。

19.11

子夏曰："大德不逾闲[1]，小德出入可也。"

Tsze-hsia said, "When a person does not transgress the boundary line in the great virtues, he may pass and repass it in the small virtues."

【注释】[1] 闲：门阑。比喻范围、界限。

【译文】子夏说："大的德行节操不得超越界限，小的德行细节有点出入是可以的。"

【解读】朱熹曰："大德、小德，犹言大节、小节。"黄怀信曰："'大德'，大的、原则性的道德行为。'小德'，小的、具体的道德约束。"杨朝明曰："重大品德原则不能违背，小的生活细节有点出入是可以的。"

19.12

子游曰："子夏之门人小子，当洒扫应对进退则可矣，抑 [1] 末也，本之则无，如之何？"子夏闻之，曰："噫！言游过矣！君子之道，孰先传焉？孰后倦 [2] 焉？譬诸草木，区以别矣。君子之道，焉可诬也？有始有卒者，其惟圣人乎！"

Tsze-yu said, "The disciples and followers of Tsze-hsia, in sprinkling and sweeping the ground, in answering and replying, in advancing and receding, are sufficiently accomplished. But these are only the branches of learning, and they are left ignorant of what is essential. —How can they be acknowledged as sufficiently taught?" Tsze-hsia heard of the remark and said, "Alas! Yen Yu is wrong. According to the way of the superior man in teaching, what departments are there which he considers of prime importance, and delivers? What are there which he considers of secondary importance, and allows himself to be idle about? But as in the case of plants, which are assorted according to their classes, so he deals with his disciples. How can the way of a superior man be such as to make fools of any of them? Is it not the sage alone, who can unite in one the beginning and the consummation of learning?"

【注释】［1］抑：转折连词，相当于"但是"。［2］倦：疑是"传"字之误。

【译文】子游说："子夏的弟子，做些洒水扫地、接待宾客的事情是可以的，但不过是末节罢了，根本的东西则没有学到，这怎么能行呢？"子夏听了这话，说："咳！子游错了！君子的学问之道，哪个先传授？哪个后传授？就好像草木一样，区别得清清楚楚。君子的学问之道，怎么可以歪曲呢？能有始有终，循序渐进教的，大概只有圣人吧！"

【解读】子游和子夏都是孔子的得意弟子，同属"孔门十哲"，列入文学科，所以后人将他俩并称"游夏"。本章内容表现的是两人在教学方法上的分歧，子游重本，注重大道，批评子夏偏重末节之学。子夏不服气，认为向学生传授知识，应有先有后，有始有终，其方法就是由浅入深，循序渐进。客观地讲，我们不能简单地判定二者的方法孰对孰错，只能说各有千秋。

19.13

子夏曰："仕而优[1]则学，学而优则仕。"

Tsze-hsia said, "The officer, having discharged all his duties, should devote his leisure to learning. The student, having completed his learning, should apply himself to be an officer."

【注释】［1］优：很多人都将"优"字解为"有余力"，欠妥。"优"字理解为优秀、优良为是。既然"学而优"之"优"为优秀、优良义，那么，"仕而优"之"优"也应是优秀、优良义。

【译文】子夏说："官做得优秀，还要继续学习；学习优秀，就可以去做官。"

【解读】儒家向来推崇积极入世的态度，他们认为，君子持之以恒地修养自身德行，广泛

学而优则仕　岳海波　绘

地学习，熟练地掌握各种本领，一个重要目的就是将来有机会可以"出仕"。只有"出仕"，他们才有机会兼济天下，才能实现自己"再使风俗淳"的社会理想。当然，"出仕"也不会是他们的终点，君子深知学无止境的重要性，即使他们因政绩卓著而身居高位后，也不会满足于现状，会更加严格地要求自己，勤奋好学，不断提高施政水平。

19.14

子游曰："丧，致乎哀而止。"

Tsze-yu said, "Mourning, having been carried to the utmost degree of grief, should stop with that."

【译文】子游说："居丧，达到悲哀的程度就可以了（不要悲伤过度）。"

【解读】关于"礼"的问答中，孔子常以丧礼举例，可见他对于这种礼仪的重视程度，本章子游的观点，应是与孔子一脉相承的。子游认为，丧礼期间，有发自内心的悲哀就足够了，不能是虚情假意的表演，亦不需要盛大铺张的形式，否则就不合乎礼仪了。此外，悲哀也不宜过度，若肝肠寸断，损伤自己，不只是不合礼仪，简直就是不孝了。

19.15

子游曰："吾友张也为难能也，然而未仁。"

Tsze-yu said, "My friend Chang can do things which are hard to be done, but yet he is not perfectly virtuous."

【译文】子游说："我的朋友子张可以说是难能可贵的了，但是还没有达到仁。"

【解读】子张是一个勤学好问、敢于担当、言行一致的君子形象，并且以"仁"为毕生追求，一般人很难与之比肩。但正所谓人无完人，从孔子对子张"师也过""师也辟"的评价来看，子张自身也有诸如行事容易过头、性格略显偏激的缺点。子游对子张的客观评价，既是委婉的批评，又饱含激励双方共同进步的热切期望。

19.16

曾子曰："堂堂乎张[1]也，难与并为仁矣。"

The philosopher Tsang said, "How imposing is the manner of Chang! It is difficult along with him to practise virtue."

【注释】［1］堂堂乎张：子张，仪表堂堂，盛气凌人。

【译文】曾子说："子张仪表堂堂啊，难以和你一同行仁。"

【解读】"仁"的达成，曾子认为主要靠君子"正心诚意"的内在修养。在他眼里，子张过于注重衣着外貌等外在形式，这与"仁"还是有一段距离的。再者说，儒家主张的"仁"的应有之义是"人与人之间相互亲爱"，彼

此之间和谐融洽，这就要求仁者平易近人、
和蔼可亲。曾子认为子张给人一种盛气凌人
的感觉，难以与之接近，难以与之一同践行
仁道。今天的人们不要只把心思集中于外在
美的塑造上，而要把更多的精力用到内在美
的修养上，内外兼修才是理想人格。

19.17

曾子曰："吾闻诸夫子：人未有自致^[1]者也，必也亲丧乎！"

The philosopher Tsang said, "I heard this from our Master: 'Men may not have shown what is in them to the full extent, and yet they will be found to do so, on occasion of mourning for their parents.' "

【注释】［1］自致：自动地竭尽心力。

【译文】曾子说："我从老师那里听说过：人的感情没有自动地发挥到极致的时候，如果有，那一定是父母丧亡的时候吧。"

【解读】本章是曾子转述的孔子之言。孔子认为，人的感情，一般在父母丧亡时无法控制，自动地尽情流露，这是亲情使然，孝心所致。

19.18

曾子曰："吾闻诸夫子：孟庄子[1]之孝也，其他可能也；其不改父之臣与父之政，是难能也。"

The philosopher Tsang said, "I have heard this from our Master: 'The filial piety of Mang Chwang, in other matters, was what other men are competent to, but, as seen in his not changing the ministers of his father, nor his father's mode of government, it is difficult to be attained to.'"

【注释】［1］孟庄子：鲁国大夫孟献子仲孙蔑之子仲孙速。

【译文】曾子说："我从老师那里听说过：孟庄子的孝，其他方面别人可能做得到；他在父亲死后不更换父亲的臣下，不改变父亲的政策，是别人难以做到的。"

【解读】孟庄子的父亲孟献子，曾于鲁国担任重要职务，因他主张发展生产，节用爱民，知人善任，且善于外交，在当时被称为"贤大夫"。从表面上看，孟庄子没有改动的是他父亲的政策；实质上，孟庄子真正没有改变的是"父之道"。在孔子看来，恰恰是对"道"的坚持，才是真正的孝，这也是别人很难达到孟庄子这种高度的原因。本章的观点是有其时代局限性的，我们生活在快速发展的时代，一方面要学会有选择地继承，另一方面还要学会发展和创新，这样才有利于我们自身的发展，同时也会推动社会不断进步。

19.19

孟氏使阳肤[1]为士师[2]，问于曾子。曾子曰："上失其道，民散久矣。如得其情，则哀矜而勿喜！"

The chief of the Mang family having appointed Yang Fu to be chief criminal judge, the latter consulted the philosopher Tsang. Tsang said, "The rulers have failed in their duties, and the people consequently have been disorganised, for a long time. When you have found out the truth of any accusation, be grieved for and pity them, and do not feel joy at your own ability."

【注释】［1］阳肤：曾子的弟子。［2］士师：掌管刑狱的官。

【译文】孟氏让阳肤做典狱官，阳肤来请教曾子。

曾子说："在上位的丧失道义，民心散，离心离德很久了。如果了解了民众触犯法律的实情，就应哀怜同情，而不要因抓到了犯人就沾沾自喜！"

【解读】阳肤是曾子的学生，担任掌管刑狱的官职，曾子教导他不要因抓到罪犯就高兴，甚至还要同情他们，这似乎于理不通，难道曾子唯恐天下不乱吗？显然不是。曾子的意思是，要看民众触犯法律的原因，如果犯人是因为当权者道义尽失才选择铤而走险的话，那么就要体谅、同情他们，这一点表现了曾子的仁爱之心；最重要的就是曾子对于当时统治者无道的批评，他认为正是由于"邦无道"，社会黑暗，秩序混乱，百姓走投无路才会触犯法律。因此，本章看似是曾子在教育弟子如何为官，实则是提醒当权者要行道义、得民心。

19.20

　　子贡曰："纣之不善，不如是之甚也。是以君子恶居下流，天下之恶皆归焉。"

　　Tsze-kung said, "Chau's wickedness was not so great as that name implies. Therefore, the superior man hates to dwell in a low-lying situation, where all the evil of the world will flow in upon him."

　　【译文】子贡说："商纣王的坏，不像现在传说的这么厉害。所以君子厌恶居于下流，一旦居于下流，天下的恶名坏事都会归聚到他的身上。"

　　【解读】宋邢昺《论语注疏》曰："下流者，谓为恶行而处人下，若地形卑下，则众流所归。人之为恶处下，众恶所归，是以君子常为善，不为恶，恶居下流故也。纣为恶行，居下流，则人皆以天下之恶归之于纣也。"道理很明显，千百年来，桀纣之流成了暴君的代名词，人们每遇暴君，就将其比作桀纣。我们都有这样的经历：某人曾有过偷盗行为，周围的人无论谁丢了东西，都会首先怀疑到他。

19.21

子贡曰："君子之过也，如日月之食焉：过也，人皆见之；更也，人皆仰之。"

Tsze-kung said, "The faults of the superior man are like the eclipses of the sun and moon. He has his faults, and all men see them; he changes again, and all men look up to him."

【译文】子贡说："君子的过错，就像日食月食那样：犯了过错，人们都会看到；改正了过错，人们都会仰望他。"

【解读】日食和月食在古人看来是一种神奇的天文现象，本章用来比喻君子的过错，可谓生动形象。一个人犯了错，大家终会发现，就像日食、月食发生的时候，同一片苍穹下，谁会看不见？但小人会自作聪明，试图修饰、掩盖，生怕别人看见；君子则光明磊落，正视错误，知错就改，就好比日食和月食，都只是暂时性的，之后光芒会一如既往地照耀大地。所以说，君子这种闪着光辉的品质会让所有人仰望、崇拜。这就启示我们，在日常生活中不要怕犯错，也不要怕批评，只要能及时改正，就会进步。

19.22

卫公孙朝问于子贡曰："仲尼焉学？"
子贡曰："文、武之道，未坠于地，在人。
贤者识[1]其大者，不贤者识其小者，莫不有文、
武之道焉。夫子焉不学？而亦何常师之有？"

Kung-sun Ch'ao of Wei asked Tsze-kung,
saying, "From whom did Chung-ni get his learning?"
Tsze-kung replied, "The doctrines of Wan and
Wu have not yet fallen to the ground. They are to
be found among men. Men of talents and virtue
remember the greater principles of them, and others,
not possessing such talents and virtue, remember the
smaller. Thus, all possess the doctrines of Wan and
Wu. Where could our Master go that he should not
have an opportunity of learning them? And yet what
necessity was there for his having a regular master?"

孔子问礼于老子　于志学　绘

【注释】 ［1］识（zhì）：记。

【译文】 卫国的公孙朝向子贡问道："仲尼的学问是从哪里来的？"子贡说："文王、武王的道德学说，并未失传，仍流传在人间。贤能的人能记住文武之道的本质；不贤能的人只记住文武之道的末节，可以说文武之道无处不在。我的老师何处不学？又哪里有固定的老师？"

【解读】 此章子贡赞美孔子无处不学、学无常师的精神。文王、武王虽然远离孔子数百年，但他们的治世之道，并没有遗失，仍在民间流传。孔子崇尚文武之道，一边勤勉学习，一边收集整理，最终成为文武之道的"集大成"者，他也因"斯文在兹"倍感骄傲和自豪。他无处不学、学无常师的精神令人景仰："三人行，必有我师焉"；向乐官师襄学习弹琴；向大夫苌弘学乐；向郯子学习天文历法以及各种学术；向老子学习历史典籍知识及礼制；与南宫敬叔到周都洛阳考察文物典制，终以博学多识获得"至圣先师"之殊誉。

19.23

叔孙武叔[1]语大夫于朝曰："子贡贤于[2]仲尼。"子服景伯以告子贡。子贡曰："譬之宫墙，赐之墙也及肩，窥见室家之好。夫子之墙数仞[3]，不得其门而入，不见宗庙之美，百官之富。得其门者或寡矣。夫子之云，不亦宜乎？"

Shu-sun Wu-shu observed to the great officers in the court, saying, "Tsze-kung is superior to Chung-ni." Tsze-fu Ching-po reported the observation to Tsze-kung, who said, "Let me use the comparison of a house and its encompassing wall. My wall only reaches to the shoulders. One may peep over it, and see whatever is valuable in the apartments." The wall of my Master is several fathoms high. If one do not find the door and enter by it, he cannot see the ancestral temple with its beauties, nor all the officers in their rich array. "But I may assume that they are few who find the door. Was not the observation of the chief only what might have been expected?"

【注释】［1］叔孙武叔：鲁国大夫，名州仇。［2］贤于：胜于，超过。［3］仞：古以七尺或八尺为一仞。

【译文】叔孙武叔在朝廷对大夫们说："子贡胜于仲尼。"大夫子服景伯把这话告诉了子贡。子贡说："好比宫室的围墙，我端木赐的墙只到肩膀，站在墙外能窥见房屋的美好。老师的墙有几仞之高，如果找不到门进去的话，就看不见宗庙的华美、百官的富盛。但是，能够找到门的人很少。武叔先生这样说，不也很自然吗？"

【解读】子贡在孔子弟子中以能言善辩著称，

并且行事干练，先后在鲁国、卫国为相。齐国伐鲁，子贡出使齐、吴、越、晋四国，凭一己之力，不但成功化解了鲁国的危机，还使诸侯国形势发生了巨大变化。《史记·仲尼弟子列传》说："故子贡一出，存鲁，乱齐，破吴，强晋而霸越。"又因头脑灵活，熟练掌握一套财源广进的生意经，所以他还是孔子弟子中的大富豪。正因为子贡在从政、经商两个方面的优异表现，当时有人认为子贡的才能要高于孔子。但子贡向来谦虚，时刻保持着对自己老师的绝对尊敬，且头脑始终清醒。他知道，孔子的智慧是他人难以企及的，肤浅之人甚至都不会认识到孔子的智慧。子贡为人们做了一个好榜样，当别人给予我们言过其实的褒奖或者别有用心的恭维时，每个人都要客观、理智地认识自己，找准自己的定位。只有这样，才是对自己最大的尊重。

19.24

叔孙武叔毁仲尼。子贡曰："无以为也！仲尼不可毁也。他人之贤者，丘陵也，犹可逾也；仲尼，日月也，无得而逾焉。人虽欲自绝，其何伤于日月乎？多[1]见其不知量也。"

Shu-sun Wu-shu having spoken revilingly of Chung-ni, Tsze-kung said, "It is of no use doing so. Chung-ni cannot be reviled. The talents and virtue of other men are hillocks and mounds which may be stepped over. Chung-ni is the sun or moon, which it is not possible to step over. Although a man may wish to cut himself off from the sage, what harm can he do to the sun or moon? He only shows that he does not know his own capacity."

【注释】［1］多：适足，恰好。

【译文】叔孙武叔毁谤仲尼。子贡说："不要这样做！仲尼是不可毁谤的。别人的贤能，好比丘陵，还可以超越；仲尼，好比太阳和月亮，是不可能超越的。人纵使想自绝于日月，那对日月又会有什么伤害呢？足见他太不知量。"

【解读】据史书记载，鲁定公在位期间，曾重用孔子，意图削弱"三桓"势力，恢复"君君臣臣"之道。"三桓"乃当时鲁国握有实权的三大家族，叔孙武叔即是其中一家的代表。叔孙武叔把孔子视为政敌，这就不难理解他为何一再攻击、诋毁孔子了。但子贡始终是孔子的忠实拥趸，之前他以"宫墙及肩""宫墙数仞"作比，此处以"丘陵""日月"作比，突出了老师学识的渊深和人格的伟大，维护了老师的声誉和尊严。我们也该看到，也正是有了子贡这样执着坚定的追随者和维护者，孔子的思想和学说才能终如日月般悬于历史的星空之中。

19.25

　　陈子禽谓子贡曰："子为恭也，仲尼岂贤于子乎？"子贡曰："君子一言以为知，一言以为不知，言不可不慎也。夫子之不可及也，犹天之不可阶而升也。夫子之得邦家者，所谓立之斯立，道之斯行，绥[1]之斯来，动之斯和。其生也荣，其死也哀，如之何其可及也？"

　　Ch'an Tsze-ch'in, addressing Tsze-kung, said, "You are too modest. How can Chung-ni be said to be superior to you?" Tsze-kung said to him, "For one word a man is often deemed to be wise, and for one word he is often deemed to be foolish. We ought to be careful indeed in what we say. Our Master cannot be attained to, just in the same way as the heavens cannot be gone up to by the steps of a stair. Were our Master in the position of the ruler of a

State or the chief of a Family, we should find verified the description which has been given of a sage's rule: — he would plant the people, and forthwith they would be established; he would lead them on, and forthwith they would follow him; he would make them happy, and forthwith multitudes would resort to his dominions; he would stimulate them, and forthwith they would be harmonious. While he lived, he would be glorious. When he died, he would be bitterly lamented. How is it possible for him to be attained to?"

【注释】［1］绥（suí）：安抚。

【译文】陈子禽对子贡说："您是有意谦恭，仲尼难道能胜于您吗？"子贡说："君子能由一句话表现出智慧，也能由一句话表现出无知，说话不可不谨慎啊。我老师的不可及，就像天不可用梯子爬上去一样。老师如果能得到一个诸侯国来治理，就会做到所说的那样，建立起国家，国家就能安定；引导民众，民众就会跟着走；安抚民众，民众就会从远方来归附；动员民众，民众就会齐心合力。他生得光荣，死了令人哀痛，我怎么能赶得上他呢？"

【解读】本章依然是子贡对孔子的维护与赞美。子贡提醒子禽不要信口开河，因为随随便便的一句话足以表现一个人的肤浅与无知。子贡十分清楚，正是由于他得到了施展才华的机会并取得了一些成绩，人们才会认为他比孔子更厉害。与此同时，人们似乎忘了他是孔子的学生。在子贡看来，他的智慧源于孔子，但孔子的智慧是高不可及的，孔子如果能够得到同样的机会，就一定会把这个国家治理得政治清明，百姓归附，上下一心。

尧曰第二十

20.1

尧曰："咨！尔舜！天之历数^[1]在尔躬，
允执其中。四海困穷，天禄永终。"舜亦以命禹。

曰："予小子履^[2]，敢用玄牡，敢昭告
于皇皇后帝：有罪^[3]不敢赦。帝臣不蔽，简^[4]
在帝心。朕躬有罪，无以万方；万方有罪，罪
在朕躬。"

周有大赉^[5]，善人是富。"虽有周亲，
不如仁人。百姓有过，在予一人^[6]。"

谨权量，审法度，修废官，四方之政行焉。
兴灭国，继绝世，举逸民，天下之民归心焉。
所重：民、食、丧、祭。宽则得众，信则民任焉，
敏则有功，公则说^[7]。

Yao said, "Oh! you, Shun, the Heaven-
determined order of succession now rests in your
person. Sincerely hold fast the due Mean. If there
shall be distress and want within the four seas, the

Heavenly revenue will come to a perpetual end."
Shun also used the same language in giving charge
to Yu.

T 'ang said, "I the child Li, presume to use a
dark-coloured victim, and presume to announce
to Thee, O most great and sovereign God, that the
sinner I dare not pardon, and thy ministers, O God,
I do not keep in obscurity. The examination of them
is by thy mind, O God. If, in my person, I commit
offences, they are not to be attributed to you, the
people of the myriad regions. If you in the myriad
regions commit offences, these offences must rest on
my person."

Chau conferred great gifts, and the good were
enriched. "Although he has his near relatives, they
are not equal to my virtuous men. The people are
throwing blame upon me, the one man."

He carefully attended to the weights and
measures, examined the body of the laws, restored

the discarded officers, and the good government of the kingdom took its course. He revived states that had been extinguished, restored families whose line of succession had been broken, and called to office those who had retired into obscurity, so that throughout the kingdom the hearts of the people turned towards him.What he attached chief importance to, were the food of the people, the duties of mourning, and sacrifices. By his generosity, he won all. By his sincerity, he made the people repose trust in him. By his earnest activity, his achievements were great. By his justice, all were delighted.

【注释】［1］历数：本指岁月日星辰运行之法，此指上天排定的朝代更替的次序。［2］履：商汤名。［3］有罪：当指夏桀有罪。［4］简：检阅，考察。［5］赉（lài）：赏赐。［6］此当是武王语。［7］说：同"悦"。

【译文】尧说："啊！舜！上天排定的朝代更替的次序已经轮到你身上，你要适当地掌握好中庸之道。如果天下都困顿穷苦，上天的禄位就会永远终止。"舜后来也用这话告诫禹。

汤说："我这个后辈小子履，大胆地用黑色公牛来祭祀，明明白白地告诉光明而伟大的天帝：有罪的人我不敢擅自赦免。您臣下的善恶我也不隐瞒掩盖，您心里也是早已明察。我自身有罪，不要因此连累天下各方百姓；各方百姓有罪，罪责在我一人身上。"

周朝大赏天下，好人都富贵起来。武王说："虽有至亲，不如有仁德之人。百姓有过错，责任在我一人身上。"

谨慎制定度量衡，审查各种法规制度，恢复被废掉的官职，四方的政令也就行得通了。复兴灭亡的国家，接续断绝的世系，举用隐逸的贤人，天下的老百姓就会真心实意归服了。应该重视的是：民众、粮食、丧事、祭祀。宽厚就能得到民众的拥护，诚信就能得到民众的信任，勤敏就会有功绩，公平就会使人人高兴。

【解读】本章篇幅较长，句子深奥，文中大量引用古文《尚书》，表达了对三代以来先王的美德善政的称颂，体现了儒家仁道思想的历史渊源，表明了中国政治传统的一脉相承。无论是尧禅位于舜时的告诫之词，还是商汤祷告上天时的宣言，抑或是武王伐纣后分封诸侯时的话语，都强调了"以民为本"的执政精神，这是政治传承的优良传统。尤其是末尾四句"宽则得众，信则民任焉，敏则有功，公则说"，实为执政经验的精辟总结。君王担负使百姓富有的责任和使命，治国安邦平定天下需要有先王般严于律己、勇担重任、任人唯贤的精神，只有这样，才能保证事业长盛不衰。

20.2

　　子张问于孔子曰："何如斯可以从政矣？"子曰："尊五美，屏四恶，斯可以从政矣。"子张曰："何谓五美？"子曰："君子惠而不费，劳而不怨，欲而不贪，泰而不骄，威而不猛。"子张曰："何谓惠而不费？"子曰："因民之所利而利之，斯不亦惠而不费乎？择可劳而劳之，又谁怨？欲仁而得仁，又焉贪？君子无众寡，无小大，无敢慢，斯不亦泰而不骄乎？君子正其衣冠，尊其瞻视，俨然人望而畏之，斯不亦威而不猛乎？"子张曰："何谓四恶？"子曰："不教而杀谓之虐；不戒视成谓之暴；慢令致期[1]谓之贼；犹之与人也，出纳之吝谓之有司[2]。"

Tsze-chang asked Confucius, saying, "In what way should a person in authority act in order that he may conduct government properly?" The Master replied, "Let him honour the five excellent, and banish away the four bad, things; — then may he conduct government properly." Tsze-chang said, "What are meant by the five excellent things?" The Master said, "When the person in authority is beneficent without great expenditure; when he lays tasks on the people without their repining; when he pursues what he desires without being covetous; when he maintains a dignified ease without being proud; when he is majestic without being fierce." Tsze-chang said, "What is meant by being beneficent without great expenditure?" The Master replied, "When the person in authority makes more beneficial to the people the things from which they naturally derive benefit; — is not this being beneficent without great expenditure? When he chooses the labours which are proper, and makes them labour on them, who will repine? When his desires are set on benevolent government, and he secures it, who will accuse him of covetousness? Whether he has to do with many people or few, or with things great or small, he does not dare to indicate any disrespect; — is not this to maintain a dignified ease without any pride? He adjusts his clothes and cap, and throws a dignity into his looks, so that, thus dignified, he is looked at with awe; — is not this to be majestic without being fierce?" Tsze-chang then asked, "What are meant by the four bad things?" The Master said, "To put the people to death without having instructed them; — this is called cruelty. To require from them, suddenly, the full tale of work, without having given them warning; — this is called oppression. To issue orders as if without urgency, at first, and, when the time comes, to insist on them with severity; — this is called injury. And, generally, in the giving pay or rewards to men, to do it in a stingy way; — this is called acting the part of a mere official."

【注释】［1］慢令致期：官员传达命令怠慢，导致民众延误工期（而惩罚民众）。［2］有司：官吏。古代设官分职，事各有专司，故称有司，此指专管财务的小官。

【译文】子张向孔子问道："怎样就可以从政了呢？"孔子说："尊崇五美，摒除四恶，就可以从政了。"子张说："什么是五美？"孔子说："君子施恩惠却无所耗费，劳使民众却不使民众怨恨，有欲望却不贪心，安泰大方却不骄傲，威严却不凶猛。"子张说："什么叫惠而不费？"孔子说："顺着民众能够得利的事情让他们得利，这不也是惠而不费吗？选择可以劳使民众的适当时机去劳使他们，又有谁会怨恨？想得到仁便得到仁，又贪什么？君子不管人多人少，不管事小事大，都不敢怠慢，这不也就是泰而不骄吗？君子衣冠端正，目光庄重，让人望而生畏，这不

子曰君子惠而
不費勞而不怨
欲而不貪泰而
不驕威而不猛

語出堯曰篇第二章

乙亥秋月張仲亭書

录《论语》句　张仲亭　书

也就是威而不猛吗？"子张说："什么叫四恶？"孔子说："不先进行教育，百姓犯了罪就杀，叫作残虐；不事先告诫就要检视成绩或结果，叫作粗暴；下令怠慢导致延误工期，这种怠慢造成的处罚，叫作贼害；再如给人财物，出手吝啬，叫作小家子气的有司。"

【解读】本章记述的是子张问政，孔子提出了著名的"尊五美，屏四恶"，认为遵照这些原则执政，才能实现天下大治。这其中饱含着丰富的"民本"思想。孔子强调为政以德，从政者首先要行事端正，做好本职工作，才能要求百姓。他反对暴民、虐民、害民的暴政，倡导育民、惠民、赏民的德政。这是孔子治国思想的总结，也是孔子谆谆告之治世的良方妙药。一个优秀的从政者，必须牢记"尊五美，屏四恶"的原则，学习好的方面，摒除不好的方面，才能不负人民的重托，实现人生的价值。

20.3

子曰："不知命，无以为君子也；不知礼，无以立也；不知言，无以知人也。"

The Master said, "Without recognising the ordinances of Heaven, it is impossible to be a superior man. Without an acquaintance with the rules of Propriety, it is impossible for the character to be established. Without knowing the force of words, it is impossible to know men."

【译文】孔子说："不懂得天命，就不能成为君子；不懂得礼，就不能立身于社会；不懂得分辨言语，就不能了解人。"

【解读】为文讲究卒章显志，在《论语》最后一章，孔子再次阐明君子立身处世的三点要求：知命、知礼、知言，也就是要具备乐天知命、知书达礼、分辨他人言语真伪的能力。

　　"知命"，"命"不是指个人命运，而是"天命"，它在人事之上，不可预测。《中庸》开篇说"天命之谓性"，是说上天赋予人生命的同时，也赋予某种需要个人来完成的使命。因此，孔子认为，复兴礼制是上天赋予自己的人生使命，他不向命运低头，虽屡屡碰壁，甚至厄于陈、蔡，却仍为复兴周礼而百折不挠。我们也要了解自身条件和时势环境，从而确立自己的使命，明确个人发展的方向。顺应时代的趋势，才能报国安民，实现人生的价值。

　　"礼"是社会性的纲常伦纪、行为规范，"知礼"要求自己的行为合乎道德规范，否则就难以在社会上立足。

　　"知言"包括两个方面，一是要会讲话，二是要会听话。言为心声，我们不仅要考虑对象、时机、环境等多方面的因素，提高自己讲话的艺术；还要善于倾听，兼听则明，偏信则暗。如果连"知言"都无法保证，"知人"也就无从谈起。

综上所述，"知命"即明确个人的使命和目标；"知礼"即知晓如何按礼法规范做人做事；"知言"即知道如何了解人，如何与人和谐相处。

"中华优秀传统文化书系"是山东省委宣传部组织实施的 2019 年山东省优秀传统文化传承发展工程重点项目,由山东出版集团、山东画报出版社策划出版。

　　"中华优秀传统文化书系"由曲阜彭门创作室彭庆涛教授担任主编,高尚举、孙永选、刘岩、郭云鹏、李岩担任副主编。特邀孟祥才、杨朝明、臧知非、孟继新等教授担任学术顾问。书系采用朱熹《四书章句集注》与《十三经注疏》为底本,英文对照主要参考理雅各(James Legge)经典翻译版本。

　　《论语》(四)由高尚举担任执行主编,

束天昊、高天健、朱振秋、鲁慧担任主撰；王明朋、王新莹、朱宁燕、刘建、李金鹏、杨光、张勇、张博、陈阳光、尚树志、周茹茹、房政伟、屈士峰、郭耀、黄秀韬、曹帅、龚昌华、韩振参与编写工作；于志学、吴泽浩、张仲亭、韩新维、岳海波、梁文博、韦辛夷、徐永生、卢冰、吴磊、杨文森、杨晓刚、张博、李岩等艺术家创作插图；本书编写过程中参阅了大量资料，得到了众多专家学者的帮助，在此一并致谢。